KB081000

일본어 능력시험

JLPT N3

중급 일본어 문법54

일본 Reboot Japan 주식회사
일본어교사커리어 자료 제공

교재에 수록된 QR코드로 무료 강의 연결
일본어 전문 강사의 자세한 설명으로 일본어 문법 완전 정복
일본어 능력 시험 준비는 물론 중급 일본어 학습자에게도 가장 완벽한 문법 학습서

N3

예문 반복 듣기 영상으로 바로 가기

JLPT N3 중급 일본어 문법 54

발 행 | 2024년 07월 11일
저 자 | 최유리 (유리센 일본어)
펴낸이 | 한건희
펴낸곳 | 주식회사 부크크
출판사등록 | 2014.07.15(제2014-16호)
주 소 | 서울특별시 금천구 가산디지털1로 119 SK트윈타워 A동 305호
전 화 | 1670-8316
이메일 | info@bookk.co.kr

ISBN | 979-11-410-9447-8

www.bookk.co.kr

차례 및 저자 소개

최유리 (유리센 일본어)

일본어 전문 강사로 시원스쿨 일본어와 시원스쿨 한국어 대표 강사이며,
유튜브 채널 '유리센 일본어' 운영을 포함한 다양한 일본어와 한국어 교육 관련 활동을 하고 있다.

-출간 도서 및 번역서- (최신순)

1. JLPT N5 초급 일본어 문법 24/JLPT N4 초중급 일본어 문법 28
2. 한권 한달 완성 일본어 말하기 시리즈 1-3 권
3. 마구로센세의 여행 일본어 마스터
4. 일본어 말하기 첫걸음 왕초보 탈출 프로젝트 시리즈 1-3 권
5. 마구로센세의 본격 일본어 스터디 시리즈 1-3 권 (총 6 권 예정)
6. 루스 베네딕트의 국화와 칼, 인터뷰와 일러스트로 고전 쉽게 읽기
7. 콧숨요괴와 입숨요괴 (번역)
8. 기초 일본어 말하기 훈련
9. 실전 일본어 말하기 훈련
10. The 바른 일본어

-그 밖에 다수 진행 중-

강의 출판 등 비즈니스 문의
yurisen@naver.com 또는 superyurisen@gmail.com

교재 활용법

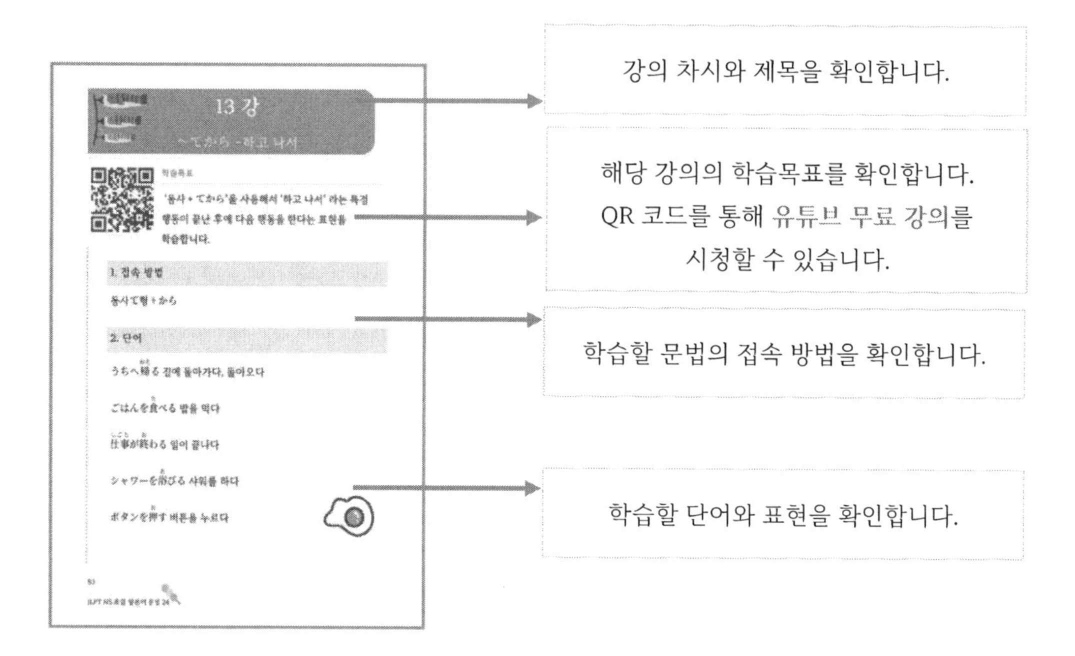
13 강
강의 차시와 제목을 확인합니다.
해당 강의의 학습목표를 확인합니다. QR 코드를 통해 유튜브 무료 강의를 시청할 수 있습니다.
학습할 문법의 접속 방법을 확인합니다.
학습할 단어와 표현을 확인합니다.

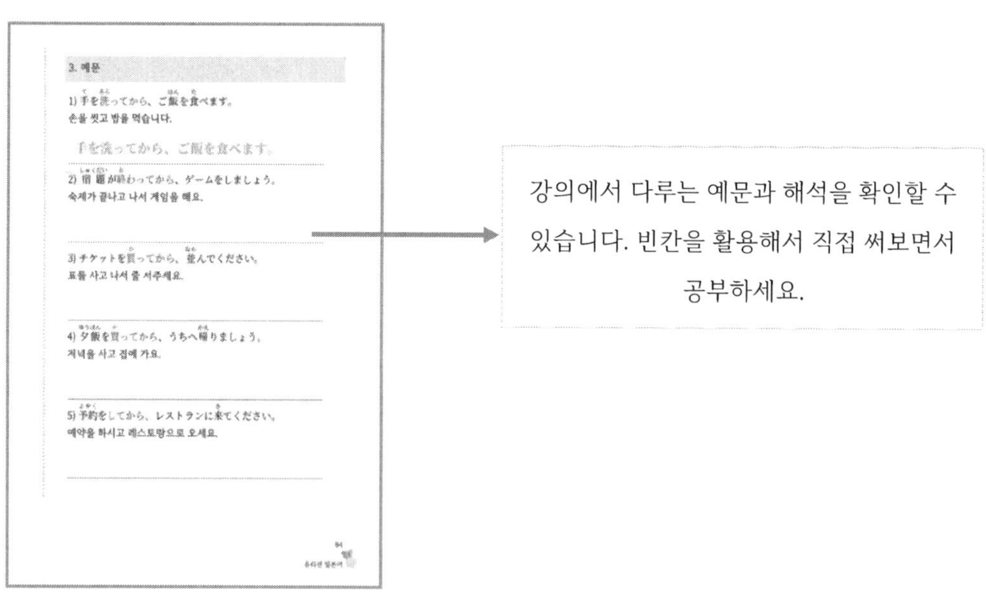
강의에서 다루는 예문과 해석을 확인할 수 있습니다. 빈칸을 활용해서 직접 써보면서 공부하세요.

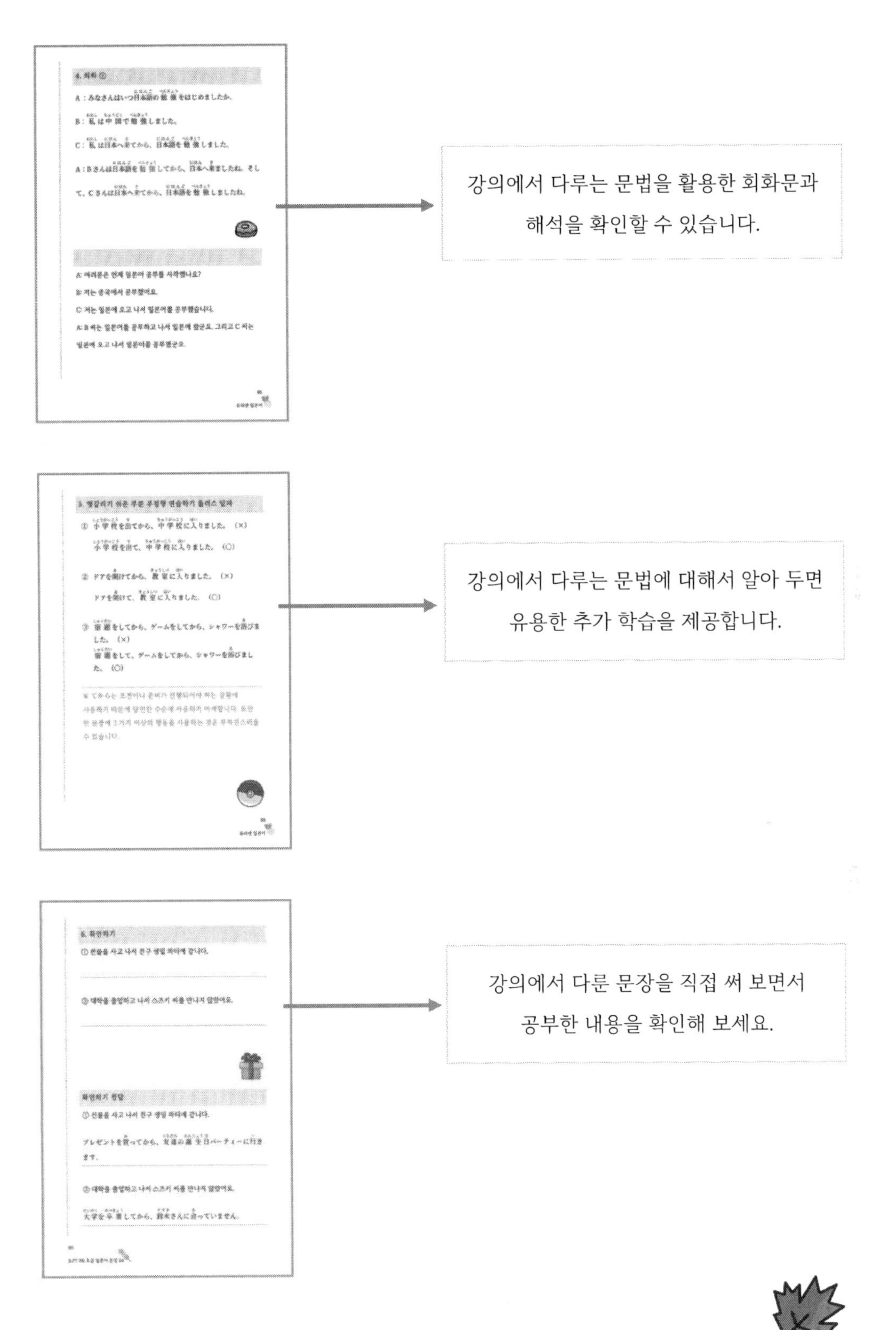

강의 자료 제공에 협조해 주신 Reboot Japan 주식회사 徳岡 優樹님에게 감사의 뜻을 전합니다.

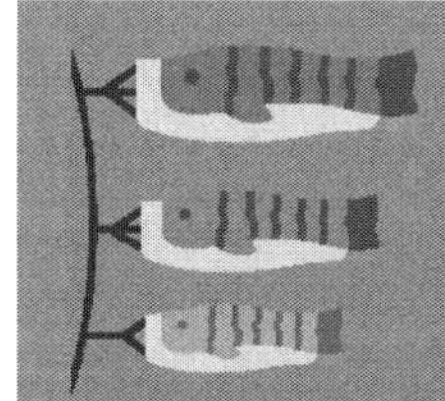

1강

～ている ~되어 있다

학습목표

ている를 사용해서 이동 후 상태·상황의 변화를 나타내는 표현을 학습합니다.

1. 접속 방법

이동동사て형 + いる

2. 단어

来(き)ます 옵니다　　行(い)きます 갑니다

出(で)かけます 외출합니다　　帰(かえ)ります 돌아갑니다, 돌아옵니다

3. 예문

1) 今年(ことし)の 4月(がつ)から大阪(おおさか)に来(き)ています。

올해 4 월부터 오사카에 와 있습니다.

今年の 4 月から大阪に来ています。

2) 今日、父は会社に行っています。

오늘 아버지는 회사에 가 계십니다.

---

3) 母が東京から遊びに来ています。

어머니가 도쿄에서 놀러 와 있어요.

---

4) マリーさんは今、アメリカに行っているので、誕生日パーティに参加できません。

마리 씨는 지금 미국에 가 있기 때문에 생일 파티에 참석할 수 없습니다.

---

5) 去年の10月から、日本語を勉強するために日本に来ています。

작년 10 월부터, 일본어를 공부하기 위해 일본에 와 있습니다.

かぞく　あ　くに　かえ
6) キムさんは家族に会うために国に帰っています。

김 씨는 가족을 만나기 위해 고향으로 돌아가 있습니다.

はは　いま　で　いえ
7) 母は今、出かけているので家にいません。

어머니는 지금 외출중이셔서 집에 안계십니다.

やまだ　かいしゃ　き
8) 山田さんはまだ会社に来ていません。

야마다 씨는 아직 회사에 오지 않았습니다.

はなこ　きょう　がっこう　い
9) 花子は今日は学校に行っていません。

하나코는 오늘은 학교에 가지 않습니다.

たろう　だいがくじだい　とも　あ　とうきょう
10) 太郎さんは、大学時代の友だちに会うために東京に

い
行っています。

타로 씨는 대학 시절 친구를 만나기 위해 도쿄에 가 있습니다.

4. 회화

プルルルル・・・電話(でんわ)が鳴(な)る

田中（娘）：はい、田中(たなか)です。

山田：もしもし、山田(やまだ)です。恵子(けいこ)さんはいらっしゃいますか？

田中（娘）：母(はは)は今(いま)、出(で)かけています。

山田：そうですか。じゃ、また後(あと)で電話(でんわ)します。

田中（娘）：わかりました。母(はは)に伝(つた)えます。

山田：よろしくお願(ねが)いします。では、失礼(しつれい)します。

따르르르릉… 전화가 울린다

다나카 (딸): 네, 다나카입니다.

야마다: 여보세요. 야마다입니다. 케이코 씨 계신가요?

다나카 (딸): 어머니는 지금 외출해 계세요.

야마다: 그래요? 그럼 나중에 다시 전화 할게요.

다나카 (딸): 알겠습니다. 어머니께 전해 드릴게요.

야마다: 부탁드려요. 그럼 실례하겠습니다.

5. 플러스 알파

①결과의 상태

【아이가 학교에 있는 상태】

子どもは今、学校に行っています。

② 동작의 진행·계속

【아이가 걸어서 학교에 가고 있는 도중】

子どもは、学校に向かって歩いています。

※ 이동동사 + ている는 문맥에 따라서 구분해야 하는 경우도 있습니다.

6. 확인하기

① 어머니가 도쿄에서 놀러 와 있어요.

② 하나코는 오늘은 학교에 가지 않습니다.

확인하기 정답

① 어머니가 도쿄에서 놀러 와 있어요.

母(はは)が東京(とうきょう)から遊(あそ)びに来(き)ています。

② 하나코는 오늘은 학교에 가지 않습니다.

花子(はなこ)は今日(きょう)は学校(がっこう)に行(い)っていません。

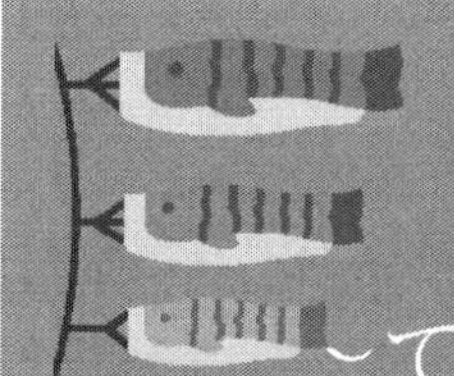

2강

~ている場合じゃない ~할 때가 아니다

학습목표

ている場合じゃない를 사용해서 지금 하고 있는 일을 그만두고 다른 일을 하는 것이 좋다고 권하는 표현을 학습합니다.

1. 접속 방법

동사て형 + いる場合じゃない

2. 단어

遊(あそ)びます 놉니다　　起(お)きます 일어납니다

します 합니다　　みます 봅니다

います 있습니다　　食(た)べます 먹습니다

3. 예문

1) 早く学校に行きなさい。ゲームをして遊んでいる場合じゃないでしょう。

빨리 학교에 가거라. 게임을 하고 놀 때가 아니잖아.

早く学校に行きなさい。ゲームをして遊んでいる場合じゃないでしょう。

---

2) 明日は仕事の面接があるんだから、遅くまで起きている場合じゃないよ。早く寝た方がいいよ。

내일은 일 면접이 있으니까, 늦게까지 깨어 있을 때가 아니야. 일찍 자는 게 좋아.

---

3) 母が救急車で病院に運ばれたと電話があった。友だちとカラオケをしている場合じゃない。早く病院に行かなくちゃ。

어머니가 구급차로 병원에 실려 갔다고 전화가 왔다. 친구와 노래방을 하고 있을 때가 아니야. 빨리 병원에 가야겠어.

---

4) 今週末にテストがあるから、だらだらといつまでもテレビを観ている場合じゃない。

이번 주말에 시험이 있으니까, 빈둥빈둥 TV 를 보고 있을 때가 아니야.

5) もうすぐアルバイトが始まる時間だ。いつまでも家でのんびりしている場合じゃない。早く準備して家を出なくては。

이제 곧 아르바이트가 시작될 시간이다. 언제까지나 집에서 느긋하게 있을 때가 아니야. 빨리 준비해서 집을 나가야지.

6) 本当にやせたいと思っているなら、お菓子を食べている場合じゃないでしょう。

정말 살을 빼고 싶다고 생각하고 있다면, 과자를 먹고 있을 때가 아니잖아요.

7) 自分(じぶん)の会社(かいしゃ)を作(つく)りたいと思(おも)うなら、本(ほん)ばかり読(よ)んでいる場合(ばあい)じゃない。行動(こうどう)してみよう。

자기 회사를 만들고 싶다면 책만 보고 있을 때가 아니다.
행동해보자.

---

8) 交差点(こうさてん)で車(くるま)と人(ひと)がぶつかった。ぼうっとしている場合(ばあい)じゃない。早(はや)く救急車(きゅうきゅうしゃ)を呼(よ)ばなくては。

교차로에서 차와 사람이 부딪쳤어. 넋 놓고 있을 때가 아니야. 빨리 구급차를 불러야지.

---

9) 彼女(かのじょ)のことを大切(たいせつ)な友(とも)だちだと思(おも)うなら、意地(いじ)を張(は)っている場合(ばあい)じゃない。早(はや)く仲直(なかなお)りした方(ほう)がいい。

그녀를 소중한 친구라고 생각한다면 고집을 부릴 때가 아니야. 빨리 화해하는 것이 좋아.

---

10) いつまでも寝ている場合じゃない。集合時間に間に合わないよ！

언제까지나 자고 있을 때가 아니야. 집합 시간에 늦을 거야!

4. 회화

A：何(なに)をしていますか？

B：お菓子(かし)を食(た)べています。

A：この間(あいだ)、ダイエットするって言(い)ってませんでした？

B：そうですよ。痩(や)せたいですよ。

A：本当(ほんとう)に痩(や)せたいと思(おも)っているなら、お菓子(かし)を食(た)べている場合(ばあい)じゃないでしょう。

A: 뭐하고 있어요?

B: 과자를 먹고 있어요.

A: 얼마전에 다이어트한다고 하지 않았어요?

B: 맞아요. 살을 빼고 싶어요.

A: 정말로 살을 빼고 싶다고 생각한다면, 과자를 먹고 있을 때가 아니잖아요.

5. 헷갈리기 쉬운 부분

ダラダラする場合(ばあい)じゃない。早(はや)く仕事(しごと)に行(い)かなきゃ。X

ダラダラしている場合(ばあい)じゃない。早(はや)く学校(がっこう)に行(い)かなきゃ。O

※ ている場合(ばあい)じゃない는 반드시 동사て형에 사용합니다. 동사 원형에는 사용할 수 없습니다.

6. 확인하기

① 이제 곧 아르바이트가 시작될 시간이다. 언제까지나 집에서 느긋하게 있을 때가 아니야. 빨리 준비해서 집을 나가야지.

---

② 그녀를 소중한 친구라고 생각한다면 고집을 부릴 때가 아니야. 빨리 화해하는 것이 좋아.

확인하기 정답

① 이제 곧 아르바이트가 시작될 시간이다. 언제까지나 집에서 느긋하게 있을 때가 아니야. 빨리 준비해서 집을 나가야지.

もうすぐアルバイトが始まる時間だ。いつまでも家でのんびりしている場合じゃない。早く準備して家を出なくては。

---

② 그녀를 소중한 친구라고 생각한다면 고집을 부릴 때가 아니야. 빨리 화해하는 것이 좋아.

彼女のことを大切な友だちだと思うなら、意地を張っている場合じゃない。早く仲直りした方がいい。

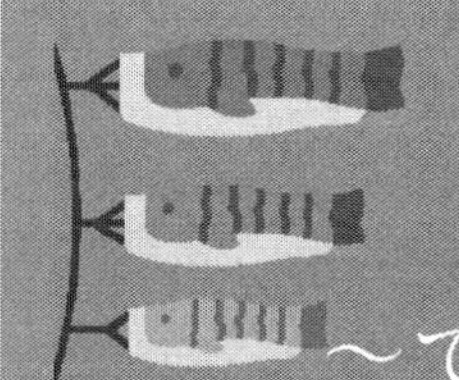

3강

~てからでないと ~하고 나서가 아니면

학습목표

てからでないと를 사용해서 지금 하려는 일보다 다른 일을 먼저 이루어져야 한다는 표현을 학습합니다.

1. 접속 방법

동사て형 + からでないと

2. 단어

します 합니다　　買(か)います 삽니다　　なります 됩니다

食(た)べます 먹습니다　　もらいます 받습니다

3. 예문

1) チケットを買(か)ってからでないと映画(えいが)は観(み)られない。

티켓을 끊어야 영화를 볼 수 있어.

チケットを買ってからでないと映画は観られない。

2) アメリカに留学(りゅうがく)したいけれど、まずは両親(りょうしん)に相談(そうだん)してからでないと行(い)けない。

미국에 유학 가고 싶지만, 우선은 부모님과 상의한 다음이 아니면 갈 수 없다.

---

3) パソコンを買(か)いたいけれど、アルバイトの給料(きゅうりょう)が入(はい)ってからでないと買(か)えない。

컴퓨터를 사고 싶지만, 아르바이트 월급이 들어오고 나서가 아니면 살 수 없다.

---

4) 本格的(ほんかくてき)なインドカレーを作(つく)るには、まずはたくさんのスパイスを買(か)ってからでないと作(つく)れない。

본격적인 인도 카레를 만들려면 일단 많은 향신료를 구입해야 만들 수 있다.

---

5) アパートで猫を飼うには、大家さんに許可をもらってからでないといけない。

아파트에서 고양이를 기르려면 집주인에게 허락을 받아야 한다.

---

6) 日本では２０歳になってからでないと、お酒を飲むことはできない。

일본에서는 20 살이 되어야 술을 마실 수 있다.

---

7) 仲良くなってからでないと、悩みを相談することはできない。

친해지고 나서가 아니면 고민을 상담할 수 없다.

---

8) 雨が止んでからでないと、外に散歩には行けない。

비가 그치고 나서가 아니면 밖으로 산책은 갈 수 없다.

---

9) あと 5 kg やせてからでないと、このワンピースは着(き)られない。

앞으로 5kg 을 빼고 나서가 아니면, 이 원피스는 입을 수 없다.

---

10) 何(なに)か食(た)べてからでないと、お腹(なか)が空(す)きすぎて動(うご)けない。

뭘 좀 먹고 나서가 아니면 배가 너무 고파서 움직일 수가 없어.

4. 회화

A：これ見(み)てください。

B：素敵(すてき)なワンピースですね。

A：このワンピース、とても素敵(すてき)ですが私(わたし)には少(すこ)し小(ち)いさそうです。でも素敵(すてき)ですから、着(き)たいです。

B：少(すこ)しやせたら、着(き)ることができるかもしれませんね。

A：そうですね。少(すこ)しやせてからでないと、このワンピースは着(き)られませんね。

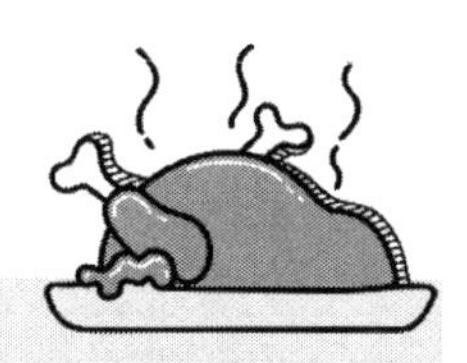

A: 이거 보세요.

B: 근사한 원피스네요.

A: 이 원피스, 너무 근사하지만, 저한테는 좀 작은 거 같아요. 하지만 멋지니까 입고 싶어요.

B: 조금 살을 빼면 입을 수 있을 지도 모르겠네요.

A: 그렇겠죠. 조금 살을 빼지 않고서야 이 원피스는 입을 없겠네요.

5. 헷갈리기 쉬운 부분

チケットを買うからでないと、映画は観られない。O

チケットを買ってからでないと、映画は観られない。X

※ てからでないとは 반드시 동사て형에 사용합니다. 동사 원형에는 사용할 수 없습니다.

6. 확인하기

① 미국에 유학 가고 싶지만, 우선은 부모님과 상의한 다음이 아니면 갈 수 없다.

② 비가 그치고 나서가 아니면 밖으로 산책은 갈 수 없다.

확인하기 정답

① 미국에 유학 가고 싶지만, 우선은 부모님과 상의한 다음이 아니면 갈 수 없다.

アメリカに留学(りゅうがく)したいけれど、まずは両親(りょうしん)に相談(そうだん)してからでないと行(い)けない。

② 비가 그치고 나서가 아니면 밖으로 산책은 갈 수 없다.

雨(あめ)が止(や)んでからでないと、外(そと)に散歩(さんぽ)には行(い)けない。

4강

~てしかたがない/~てしょうがない

~해서 방법이 없다/~해서 견딜 수 없다

학습목표

てしかたがない/てしょうがない를 사용해서 참을 수 없을 만큼 강한 감정에 대한 표현을 학습합니다.

1. 접속 방법

동사て형 + しかたがない/しょうがない

이형용사 어간 くて + しかたがない/しょうがない

나형용사 어간 で + しかたがない/しょうがない

2. 단어

書(か)きます 씁니다, 적습니다　　します 합니다

食(た)べます 먹습니다　　嬉(うれ)しい 기쁘다

楽(たの)しい 즐겁다　　かわいい 귀엽다, 예쁘다

3. 예문

1) 早(はや)く寝(ね)ないといけないのに、映画(えいが)の続(つづ)きが気(き)になってしかたがない。

일찍 자야 하는데, 영화의 뒷부분이 신경이 쓰여 견딜 수 없다.

早く寝ないといけないのに、映画の続きが気になってしかたがない。

---

2) ダイエット中(ちゅう)なのに、ケーキが食(た)べたくてしかたがない。

다이어트 중인데 케이크가 먹고 싶어서 견딜 수가 없다.

---

3) テスト勉強(べんきょう)をしないといけないのに、ゲームがしたくてしかたがない。

시험공부를 해야하는데, 게임을 하고싶어서 어쩔 줄 모르겠다.

---

4) 第一希望(だいいちきぼう)の仕事(しごと)の面接(めんせつ)に合格(ごうかく)した。嬉(うれ)しくてしかたがない。

제일 희망하는 일(회사)의 면접에 합격했다. 기뻐서 어쩔 줄 모르겠다.

---

5) 日本に来て１年になるが、国に帰りたくてしかたがない。

일본에 온 지 1년이 되었지만, 고향에 돌아가고 싶어 어쩔 줄 모르겠다.

---

6) 東京ディズニーランドは、いつ来ても楽しくてしかたがない。

도쿄 디즈니랜드는 언제 와도 즐거워서 어쩔 줄 모르겠다.

---

7) 一人暮らしはさびしくてしかたがない。

혼자 사는 것은 외로워서 견딜 수 없다.

---

8) 日本の夏は暑くてしかたがない。

일본의 여름은 더워서 어쩔 줄 모르겠다.

---

9) このアルバイトは忙しすぎる。やめたくてしかたがない。

이 아르바이트는 너무 바쁘다. 그만두고 싶어서 견딜 수가 없다.

---

10) 先月(せんげつ)飼(か)い始(はじ)めた猫(ねこ)がかわいくてしかたがない。

지난달 기르기 시작한 고양이가 귀여워 죽겠어.

4. 회화

A：この写真見てください。

B：かわいい子猫ですね。

A：とてもかわいいでしょう？

B：A さんのですか？

A：え、先月飼い始めました。かわいくてしかたがありません。

A: 이 사진 보세요.

B: 귀여운 새끼 고양이네요.

A: 아주 귀엽죠?

B: A 씨 고양이에요?

A: 네, 지난달 키우기시작했어요. 귀여워서 어쩔 줄 모르겠어요.

5. 헷갈리기 쉬운 부분

1) ケーキを食(た)べてもしかたがない。

케이크를 먹어도 소용없어.

2) ケーキが食(た)べたくてしかたがない。

케이크를 먹고 싶어서 어쩔 줄 모르겠어.

※ てしかたがない/しょうがない는 감정이나 희망에 대한 표현이 오지 않으면 다른 의미로 해석됩니다.

6. 확인하기

① 시험공부를 해야하는데, 게임을 하고싶어서 어쩔 줄 모르겠다.

② 혼자 사는 것은 외로워서 견딜 수 없다.

확인하기 정답

① 시험공부를 해야하는데, 게임을 하고싶어서 어쩔 줄 모르겠다.

テスト勉強(べんきょう)をしないといけないのに、ゲームがしたくてしかたがない。

② 혼자 사는 것은 외로워서 견딜 수 없다.

一人暮(ひとりぐ)らしはさびしくてしかたがない。

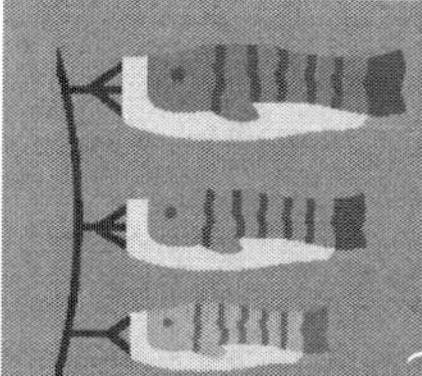

5강

～て済む ~로 끝나다, ~로 해결되다

학습목표

て済む를 사용해서 조건이 갖추어졌다는 표현을 학습합니다.

1. 접속 방법

동사て형 + 済む

이형용사 어간 くて + 済む

나형용사 어간 で + 済む

2. 단어

謝(あやま)ります 사죄합니다　　少(すく)ない 적다

軽(かる)い 가볍다　　軽症(けいしょう) 경상, 가벼운 증상

オンライン 온라인　　電話(でんわ) 전화

数分(すうふん) 수분, 적은 시간

3. 예문

1) 受験の申し込みは、オンラインで済むので便利だ。

수험 신청은 온라인으로 하면 되기 때문에 편리하다.

受験の申し込みは、オンラインで済むので便利だ。

2) コンサートのチケットの予約は電話一本で済む。

콘서트 티켓 예매는 전화 한 통이면 된다.

3) すみません、ちょっとお時間よろしいですか。ほんの数分で済みますので。

실례합니다, 잠시 시간 괜찮으시겠어요? 딱 몇 분이면 되는데요.

4) 明日行くレストラン、予約しておこうよ。待ち時間が少なくて済むから。

내일 갈 레스토랑 예약해두자. (그러면) 대기시간이 짧아지니까.

5) 交通事故(こうつうじこ)にあったが、足(あし)を少(すこ)し擦(す)りむいただけで済(す)んだのでよかった。

교통사고를 당했지만, 다리를 조금 긁힌 정도로 끝났기 때문에 다행이다.

---

6) 現代(げんだい)の生活(せいかつ)は便利(べんり)だ。掃除(そうじ)も洗濯(せんたく)もボタンを押(お)すだけで済(す)む。

현대 생활은 편리하다. 청소도 빨래도 버튼만 누르면 된다.

---

7) カップラーメンを作(つく)るのはとても簡単(かん たん)だ。お湯(ゆ)を注(そそ)いで3分(ぷん)待(ま)つだけで済(す)む。

컵라면을 만드는 것은 매우 쉽다. 뜨거운 물을 붓고 3 분 기다리기만 하면 된다.

かみ　みじか　すく　す　けいざいてき
8) 髪が短いとシャンプーが少なくて済むので経済的だ。

머리가 짧으면 샴푸가 적게 들어 경제적이다.

じしん　き　すこ　ゆ　す
9) 地震が来たが、少し揺れただけで済んだのでよかった。

지진이 났지만, 조금 흔들린 정도로 끝났기 때문에 다행이다.

こんかい　けん　あやま　す　もんだい
10) 今回の件は、謝って済む問題じゃない。

이번 건은 사과해서 될 문제가 아니야.

4. 회화

A：スーパーでこんなに買い物をしたが、500円で済んだ。

B：え、どうして？

A：もうすぐお店が閉まるから、商品に「割引」のシールがついていて、いつもより安くなっていたの。

B：よかったね。

A: 슈퍼마켓에서 이렇게나 샀는데 500 엔으로 해결했어.

B: 어, 어째서?

A: 곧 가게가 문을 닫아서 상품에 '할인' 스티커가 붙어 있어서 평소보다 쌌거든.

B: 잘됐네.

5. 플러스 알파

「～ずに済む」

今年(ことし)の夏(なつ)は涼(すず)しかったので、エアコンをあまり使(つか)わずに済(す)んだ。

올해 여름은 시원했어서, 에어컨을 별로 사용하지 않고 지냈어.

※ 동사 + ずに済む는 동작 하지 않고 조건을 충족하다는 의미로 사용합니다.

6. 확인하기

① 내일 갈 레스토랑 예약해두자. (그러면) 대기시간이 짧아지니까.

---

② 현대 생활은 편리하다. 청소도 빨래도 버튼만 누르면 된다.

확인하기 정답

① 내일 갈 레스토랑 예약해두자. (그러면) 대기시간이 짧아지니까.

明日行くレストラン、予約しておこうよ。待ち時間が少なくて済むから。

---

② 현대 생활은 편리하다. 청소도 빨래도 버튼만 누르면 된다.

現代の生活は便利だ。掃除も洗濯もボタンを押すだけで済む。

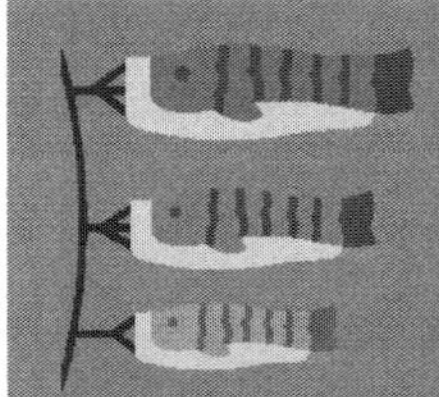

6강

～てたまらない

~해서 견딜 수가 없다, 매우 ~하다

학습목표

てたまらない를 사용해서 견딜 수 없을 만큼 강한 감정과 신체적 감각의 표현을 학습합니다.

1. 접속 방법

동사て형 + たまらない

이형용사 어간 くて + たまらない

나형용사 어간 で + たまらない

2. 단어

会(あ)います 만납니다　　食(た)べます 먹습니다

します 합니다　　欲(ほ)しい 원하다, 갖고 싶다

かわいい 귀엽다, 예쁘다　　辛(つら)い 괴롭다, 힘들다

好(す)きだ 좋아하다　　心配(しんぱい)だ 걱정스럽다

不安(ふあん)だ 불안하다

3. 예문

1) 国(くに)の家族(かぞく)に会(あ)いたくてたまらない。

고국의 가족을 보고 싶어 견딜 수가 없어.

国の家族に会いたくてたまらない。

---

2) 生(う)まれたばかりの子猫(こねこ)がかわいくてたまらない。

갓 태어난 새끼 고양이가 귀여워 견딜 수가 없어.

---

3) 日本(にほん)のアニメが好(す)きでたまらない。

일본 애니메이션이 좋아 견딜 수가 없어.

---

4) 長(なが)い距離(きょり)を走(はし)ることは辛(つら)くてたまらない。

긴 거리를 달리는 것은 힘들어 견딜 수가 없어.

---

5) あのバッグが欲(ほ)しくてたまらない。

저 가방이 갖고 싶어 견딜 수가 없어.

---

6) アメリカに留学(りゅうがく)したくてたまらない。

미국에 유학하고 싶어 견딜 수가 없어.

---

7) 彼女(かのじょ)のことが好(す)きでたまらない。

그녀가 좋아서 견딜 수가 없어.

---

8) 友人(ゆうじん)が交通事故(こうつうじこ)に遭(あ)ったと聞(き)いた。大丈夫(だいじょうぶ)かどうか、心配(しんぱい)でたまらない。

친구가 교통사고를 당했다고 들었어. 괜찮은지 걱정돼서 견딜 수가 없어.

---

9) 明日(あした)は就職(しゅうしょく)の面接(めんせつ)がある。ちゃんと質問(しつもん)に答(こた)えられるかどうか不安(ふあん)でたまらない。

내일은 취직 면접이 있다. 제대로 질문에 대답할 수 있을지
불안해서 견딜 수가 없어.

---

10) ちゃんと夕ご飯(はん)を食(た)べたのに、寝(ね)る前(まえ)になるとお腹(なか)が空(す)いてたまらない。

제대로 저녁을 먹었는데, 자기 전이 되면 배가 고파 견딜 수가 없어.

4. 회화

A：お腹(なか)が空(す)いた！

B：夕(ゆう)ご飯(はん)たくさん食(た)べたでしょ。

A：寝(ね)る時間(じかん)なのにケーキが食(た)べたくてたまらないわ。

B：でももう 12時(じ)だよ。太(ぶと)るから食(た)べない方(ほう)がいい。

A：あ、食(た)べたい！

A: 배고파!

B: 저녁 많이 먹었잖아.

A: 잘 시간인데 케이크가 먹고 싶어서 못 참겠어.

B: 하지만 이미 12 시야. 살찌니까 먹지 않는 편이 좋아.

A: 아, 먹고 싶다!

5. 플러스 알파

てしかたがない／てしょうがない

1) ケーキが食べたくてたまらない。

2) ケーキが食べたくてしかたがない。

3) ケーキが食べたくてしょうがない。

※ てしかたがない／てしょうがない는 감정, 정서에 사용하며, てたまらない는 감정, 정서는 물론이고 신체적인 감각에도 사용할 수 있습니다.

6. 확인하기

① 긴 거리를 달리는 것은 힘들어 견딜 수가 없어.

② 내일은 취직 면접이 있다. 제대로 질문에 대답할 수 있을지 불안해서 견딜 수가 없어.

확인하기 정답

① 긴 거리를 달리는 것은 힘들어 견딜 수가 없어.

長(なが)い距離(きょり)を走(はし)ることは辛(つら)くてたまらない。

② 내일은 취직 면접이 있다. 제대로 질문에 대답할 수 있을지 불안해서 견딜 수가 없어.

明日(あした)は就職(しゅうしょく)の面接(めんせつ)がある。ちゃんと質問(しつもん)に答(こた)えられるかどうか不安(ふあん)でたまらない。

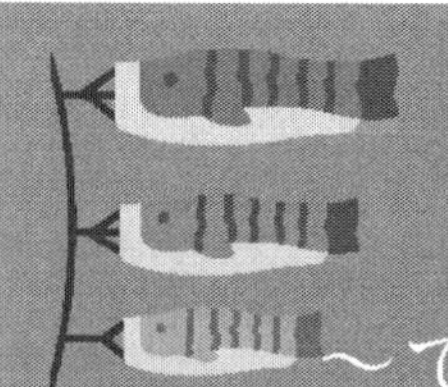

7강

～てはいけないから/～といけないから

~해서는 안 되니/ ~하면 안 되니

학습목표

てはいけないから/といけないから를 사용해서 나쁜 상황이 되지 않도록 하는 표현을 학습합니다.

1. 접속 방법

동사て형 + はいけないから

동사 사전형 + といけないから

2. 단어

降(ふ)ります (비, 눈) 내리다　　転(ころ)びます 넘어지다

なります 됩니다　　します 합니다

3. 예문

1) 雨(あめ)が降(ふ)るといけないから、傘(かさ)を持(も)って行(い)きなさい。

비가 오면 안되니까 우산을 가져가라.

雨が降るといけないから、傘を持って行きなさい。

2) 転(ころ)ぶといけないから、坂道(さかみち)をゆっくりと下(くだ)る。

넘어지면 안 되니까 언덕길을 천천히 내려간다.

3) 運転中(うんてんちゅう)に眠(ねむ)くなってはいけないから、ガムを噛(か)む。

운전 중에 졸리면 안 되니까 껌을 씹는다.

4) 明日(あした)忘(わす)れ物(もの)をしてはいけないから鞄(かばん)の中(なか)を何度(なんど)も確認(かくにん)する。

내일 물건을 잃어버리면 안되니까 가방 안을 여러번 확인한다.

5) これ以上(いじょう)太(ふと)ってはいけないから、しばらくお菓子(かし)を食(た)べないようにする。

더 이상 살찌면 안 되니까 당분간 과자를 먹지 않도록 한다.

6) 携帯の充電がなくなってはいけないから、充電器を持ち歩いている。

핸드폰이 방전되면 안되기 때문에 충전기를 가지고 다니고 있어.

---

7) 買ったアイスが溶けてはいけないから、帰宅後すぐ冷凍庫に入れた。

산 아이스크림이 녹으면 안 되니까, 귀가 후 바로 냉동고에 넣었다.

---

8) 風邪をひくといけないから、暖かい上着を持っていってください。

감기 걸리면 안 되니까 따뜻한 겉옷 챙겨가세요.

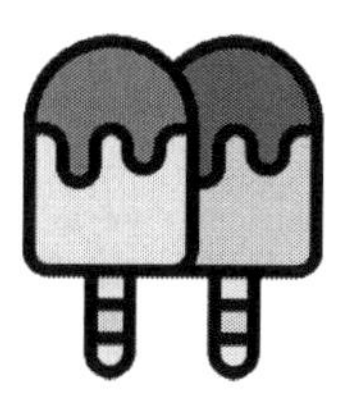

9) 目が悪くなるといけないから、テレビゲームやスマートフォンを長い 間 使うのはやめた方がいい。

눈이 나빠지면 안 되니까 비디오 게임이나 스마트폰을 오랫동안 사용하는 것은 그만두는 것이 좋다.

---

10) 寝坊するといけないから、夜は早く寝た方がいい。

늦잠을 자면 안 되니까 밤에는 일찍 자는 게 좋아.

4. 회화 ①

A：また学校(がっこう)に遅刻(ちこく)しました。

B：またですか？

A：夕(ゆう)べ遅(おそ)くまで起(お)きていました。だから寝坊(ねぼう)しました。

B：寝坊(ねぼう)するといけないから、夜(よる)は早(はや)く寝(ね)た方(ほう)がいいですよ。

A：はい、そうします。

A: 또 학교에 지각했어요.

B: 또요?

A: 어제밤에 늦게까지 깨어있었어요. 그래서 늦잠을 잤어요.

B: 늦잠을 자면 안 되니까, 밤에는 빨리 자는 편이 좋아요.

A: 네, 그렇게 할게요.

4. 회화 ②

A：お腹(なか)が空(す)きました。

B：そうですね。何(なに)か食(た)べたいですね。

A：ケーキはどうですか？

B：うん…太(ふと)るといけないから、ケーキはちょっと…。

A: 배가 고파요.

B: 그렇넹. 뭔가 먹고 싶네요.

A: 케이크는 어때요?

B: 음, 살찌면 안 되니까 케이크는 좀…

5. 플러스 알파

～なければならない／なくてはならない／ないといけない／ねばならぬ

1) 太(ふと)るといけないから、ケーキを食(た)べない方(ほう)がいい。

2) 痩(や)せなければならないから、ケーキを食(た)べない方(ほう)がいい。

3) 痩(や)せなくてはならないから、ケーキを食(た)べない方(ほう)がいい。

4) 痩(や)せないといけないから、ケーキを食(た)べない方(ほう)がいい。

5) 痩(や)せねばならぬ。

※ 痩せる를 강조하거나 의무의 뉘앙스로 표현할 때는 なければならないから를 사용합니다. 또한 いけない보다 ならない가 딱딱하고 정중한 표현으로 문어체로 사용되기도 하는 표현입니다.

6. 확인하기

① 감기 걸리면 안 되니까 따뜻한 겉옷 챙겨가세요.

② 핸드폰이 방전되면 안되기 때문에 충전기를 가지고 다니고 있어.

확인하기 정답

① 감기 걸리면 안 되니까 따뜻한 겉옷 챙겨가세요.

風邪(かぜ)をひくといけないから、暖(あたた)かい上着(うわぎ)を持(も)っていってください。

② 핸드폰이 방전되면 안되기 때문에 충전기를 가지고 다니고 있어.

携帯(けいたい)の充電(じゅうでん)がなくなってはいけないから、充電器(じゅうでんき)を持(も)ち歩(ある)いている。

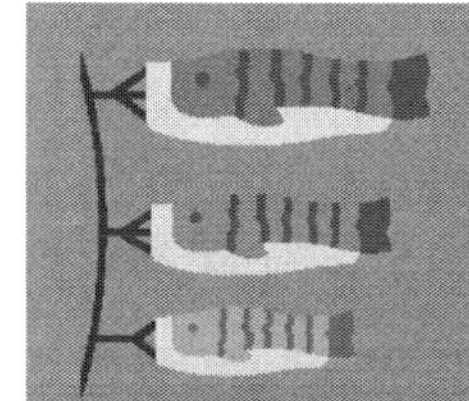

8강

～てはじめて

~서야 비로소, ~해서 처음으로

학습목표

てはじめて를 사용해서 경험하고 나서 알게 된 것의 표현을 학습합니다.

1. 접속 방법

동사て형 + はじめて

2. 단어

行(い)きます 갑니다　　なります 됩니다

生(う)まれます 태어납니다　　します 합니다

3. 예문

1) 海外(かいがい)に行(い)ってはじめて日本(にほん)のコンビニの便利(べんり)さに気(き)がついた。

해외에 가서야 일본 편의점의 편리함을 깨달았다.

海外に行ってはじめて日本のコンビニの便利さに気がついた。

---

2) 韓国(かんこく)に行(い)ってはじめてキムチを食(た)べた。

한국에 가서야 처음으로 김치를 먹었다.

---

3) 実家(じっか)を出(で)て一人(ひとり)で暮(く)らしてはじめて両親(りょうしん)のありがたさを知(し)った。

부모님 댁을 나와 혼자 살고나서부터 비로소 부모님의 고마움을 알게 되었다.

4) 外国人(がいこくじん)の人(ひと)と話(はな)してはじめてもっと英語(えいご)を勉強(べんきょう)したいと思(おも)った。

외국인과 대화를 하고서야 비로소 영어를 더 배우고 싶다는 생각이 들었다.

---

5) 大学(だいがく)に行(い)ってはじめて勉強(べんきょう)のおもしろさを知(し)った。

대학에 가서야 비로소 공부의 재미를 알았다.

---

6) 病気(びょうき)になってはじめて食事(しょくじ)の大切(たいせつ)さを知(し)った。

병에 걸리고 나서야 식사의 중요성을 알았다.

---

7) 社会人(しゃかいじん)になってはじめてお金(かね)を稼(かせ)ぐことの大切(たいせつ)さが分(わ)かった。

사회인이 되어서야 비로소 돈을 버는 것의 중요성을 알았다.

---

8) アルバイトをしてはじめて 働 くことの大変さを感じた。

아르바이트를 하고 나서야 비로소 일의 어려움을 느꼈다.

---

9) 自分に子どもが生まれてはじめて子育ての大変さを知った。

자신에게 아이가 태어나 비로소 처음으로 육아의 어려움을 알았다.

---

10) 地元を離れてはじめてその土地の良さに気づいた。

고향을 떠나서 비로소 그 고장의 좋은 점을 깨달았다.

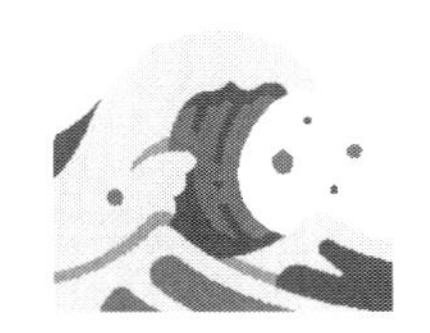

4. 회화

A：一人暮(ひとりぐ)らし始(はじ)めたって聞(き)いたよ。

B：うん、ちょっと前(まえ)まではお父(とう)さんとお母(かあ)さんと一緒(いっしょ)に暮(く)らしていたが最近(さいきん)一人暮(ひとりぐ)らしを始(はじ)めた。掃除(そうじ)、洗濯(せんたく)、料理(りょうり)など自分(じぶん)で家事(かじ)をしている。

A：家事(かじ)、大変(たいへん)そうだね。

B：一人暮(ひとりぐ)らしをしてはじめて両親(りょうしん)のありがたさを知(し)った。

A: 자취생활을 시작했다고 들었어.

B: 응, 얼마 전까지는 아버지와 어머니와 함께 살았는데 최근에 자취를 시작했어. 청소, 세탁, 요리 등 직접 집안일을 하고 있어.

A: 집안일 힘들겠다.

B: 자취를 하고나서야 비로소 부모님의 감사함을 깨달았어.

5. 헷갈리기 쉬운 부분

子猫を飼いはじめて世話が大変だということを知った。 X

새끼고양이를 키우기 시작해서 돌봄이 힘들다는 것을 알았다.

子猫を飼ってはじめて世話が大変だということを知った。 O

새끼고양이를 키우기 시작해서야 비로소 돌봄이 힘들다는 것을 알았다.

※ てはじめて는 반드시 동사て형에 사용합니다.
동사 ます형에 사용하면 다른 의미로 전달됩니다.

6. 확인하기

① 외국인과 대화를 하고서야 비로소 영어를 더 배우고 싶다는 생각이 들었다.

---

② 사회인이 되어서야 비로소 돈을 버는 것의 중요성을 알았다.

확인하기 정답

① 외국인과 대화를 하고서야 비로소 영어를 더 배우고 싶다는 생각이 들었다.

外国人の人と話してはじめてもっと英語を勉強したいと思った。

---

② 사회인이 되어서야 비로소 돈을 버는 것의 중요성을 알았다.

社会人になってはじめてお金を稼ぐことの大切さが分かった。

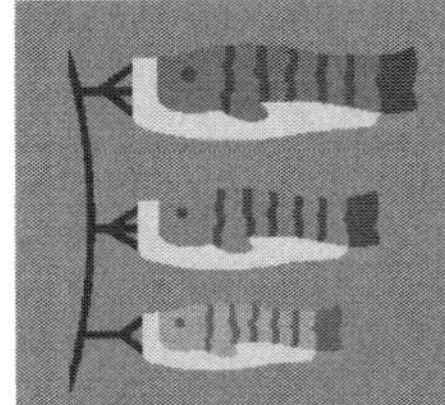

9강

～たところ ~했더니

학습목표

たところ 를 사용해서 예상하거나 기대하지 않은 일이 일어났다는 표현을 학습합니다.

1. 접속 방법

동사た형 + ところ

2. 단어

書(か)きます 쓥니다, 적습니다　　読(よ)みます 읽습니다

行(い)きます 갑니다　　聞(き)きます 듣습니다, 묻습니다

作(つく)ります 만듭니다　　調(しら)べます 조사합니다, 알아봅니다

食(た)べます 먹습니다　　送(おく)ります 보냅니다

頼(たの)みます 부탁합니다, 시킵합니다

3. 예문

1) 彼(かれ)にクリスマスカードを送(おく)ったところ、その日(ひ)のうちに電話(でんわ)が来(き)た。

그에게 크리스마스 카드를 보냈더니 그날 중으로 전화가 왔다.

彼にクリスマスカードを送ったところ、その日のうちに電話が来た。

---

2) ニュースを読(よ)んでみたところ、あの事件(じけん)は事実(じじつ)のようだ。

뉴스를 읽어봤더니 그 사건은 사실인 것 같다.

---

3) 友達(ともだち)の家(いえ)へ行(い)ったところ、旅行(りょこう)で1週間(しゅうかん)留守(るす)らしい。

친구 집에 갔더니 여행 때문에 1주일간 집에 없는 것 같다.

---

4) 学校(がっこう)を休(やす)んだ理由(りゆう)を山田(やまだ)さんに聞(き)いたところ、昨日(きのう)は熱(ねつ)があったらしい。

학교를 쉰 이유를 야마다씨에게 물었더니, 어제는 열이 있었던 것 같다.

---

5) カレーを作(つく)ってみたところ、辛(から)すぎて食(た)べられません

でした。

카레를 만들어 봤더니 너무 매워서 못 먹었어요.

---

6) 図書館(としょかん)に電話(でんわ)したところ、今日(きょう)は工事(こうじ)で休(やす)みらしい。

도서관에 전화했더니, 오늘은 공사로 쉬는 것 같다.

---

7) その言葉(ことば)を調(しら)べたところ、「難(むずか)しい」と同(おな)じ意味(いみ)だった。

그 말을 조사해 보니 '어렵다'와 같은 뜻이었다.

---

8) 新(あたら)しいコンビニのお菓子(かし)を食(た)べてみたところ、あまり

おいしくなかった。

새로운 편의점 과자를 먹어보니 별로 맛이 없었다.

---

9) 家族(かぞく)にお土産(みやげ)を送(おく)ったところ、住所(じゅうしょ)を間違(まちが)えたので届(とど)かなかった。

가족에게 선물을 보냈더니, 주소를 잘못 적어서 도착하지 않았다.

---

10) ピザを頼(たの)んだところ、無料(むりょう)でジュースがもらえました。

피자를 시켰더니 무료로 주스를 받을 수 있었어요.

4. 회화

A：Bさん、日本のカレーを作ったことがありますか。

B：いいえ、ありません。カレーの作り方を教えて下さい。

A：いいですよ。明日一緒に作りましょう。

(緒に作る)

A：簡単でしょう。

B：初めてカレーを作ったところ、とても簡単で驚きました。

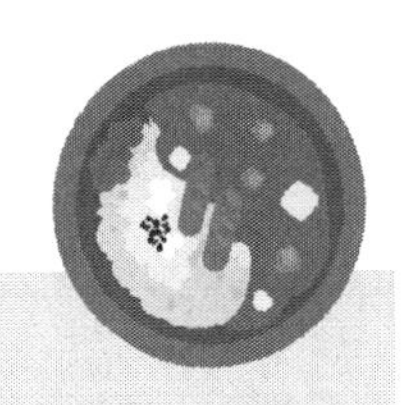

A: B 씨, 일본 카레를 만들어 본 적 있어요?

B: 아니오, 없어요. 카레 만드는 방법을 알려 주세요.

A: 좋아요. 내일 함께 만듭시다.

(함께 만든다)

A: 간단하죠?

B: 처음 카레를 만들었는데, 매우 간단해서 놀랐어요.

5. 연습하기

1) 書(か)きます → 書(か)いたところ

2) します → したところ

3) 作(つく)ります → 作(つく)ったところ

4) 読(よ)みます → 読(よ)んだところ

6. 확인하기

① 학교를 쉰 이유를 야마다씨에게 물었더니, 어제는 열이 있었던 것 같다.

---

② 피자를 시켰더니 무료로 주스를 받을 수 있었어요.

확인하기 정답

① 학교를 쉰 이유를 야마다씨에게 물었더니, 어제는 열이 있었던 것 같다.

学校(がっこう)を休(やす)んだ理由(りゆう)を山田(やまだ)さんに聞(き)いたところ、昨日(きのう)は熱(ねつ)があったらしい。

② 피자를 시켰더니 무료로 주스를 받을 수 있었어요.

ピザを頼(たの)んだところ、無料(むりょう)でジュースがもらえました。

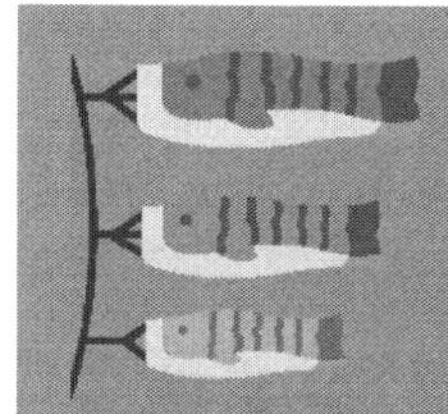

10 강

～たびに ~할 때마다

학습목표

たびに를 사용해서 일정 조건이 갖추어지면 항상 일어나는 현상 등에 대한 표현을 학습합니다.

1. 접속 방법

동사 + たびに

명사の + たびに

2. 단어

行(い)きます 갑니다　　見(み)ます 봅니다

会(あ)います 만납니다　　帰(かえ)ります 돌아갑니다, 돌아옵니다

聞(き)きます 듣습니다, 묻습니다

3. 예문

1) コンビニに行くたびにアイスを買います。

편의점에 갈 때마다 아이스크림을 삽니다.

コンビニに行くたびにアイスを買います。

---

2) この映画を見るたびに家族を思い出します。

이 영화를 볼 때마다 가족이 생각나요.

---

3) アルバイトの店長に会うたびに「日本語が上手だね」と言われます。

아르바이트처의 점장을 만날 때마다 '일본어 잘하네'라는 말을 듣습니다.

---

4) 国に帰るたびにこのお菓子を買います。

고향에 돌아갈 때마다 이 과자를 사요.

---

5) この曲を聞くたびに懐かしくて泣いてしまう。

이 곡을 들을 때마다 그리움에 (사무쳐) 울어버린다.

---

6) 私(わたし)はテストのたびに徹夜(てつや)をしています。

저는 시험 때마다 밤을 새고 있어요.

---

7) 母(はは)は電話(でんわ)のたびに「早(はや)く帰(かえ)ってきて」と言(い)います。

엄마는 전화할 때마다 "빨리 (집으로)돌아와"라고 말해요.

---

8) デートのたびに雨(あめ)が降(ふ)るのはちょっといやです。

데이트할 때마다 비가 오는 건 좀 싫어요.

---

9) 私(わたし)は給料日(きゅうりょうび)のたびにケーキを買(か)います。

저는 월급날마다 케이크를 사요.

---

10) 山田(やまだ)さんはパーティーのたびにワインを持(も)ってきます。

야마다 씨는 파티 때마다 와인을 가지고 옵니다.

4. 회화

A: 今度(こんど)の休(やす)みに国(くに)へ帰(かえ)りますか？

B: はい、久(ひさ)しぶりの帰国(きこく)で楽(たの)しみです。

A: Bさんは国(くに)へ帰(かえ)ったとき、いつも何(なに)をしますか。

B: 帰国(きこく)のたびに友達(ともだち)とお酒(さけ)を飲(の)みます。

A: 이번 휴가때 고국에 돌아가나요?

B: 네, 오랜만에 귀국이라서 기대돼요.

A: B 씨는 고국에 돌아갔을 때, 항상 무엇을 하나요?

B: 귀국할 때마다 친구들과 술을 마셔요.

5. 헷갈리기 쉬운 부분

1) 学校(がっこう)へ行(い)くたびに勉強(べんきょう)します。×

2) 朝起(あさお)きるたびにトイレへ行(い)きます。×

※ たびには 당연하거나 습관적인 일에는 사용하지 않습니다.

6. 확인하기

① 아르바이트처의 점장을 만날 때마다 '일본어 잘하네'라는 말을 듣습니다.

---

② 야마다 씨는 파티 때마다 와인을 가지고 옵니다.

확인하기 정답

① 아르바이트처의 점장을 만날 때마다 '일본어 잘하네'라는 말을 듣습니다.

アルバイトの店長(てんちょう)に会うたびに「日本語(にほんご)が上手(じょうず)だね」と言(い)われます。

② 야마다 씨는 파티 때마다 와인을 가지고 옵니다.

山田(やまだ)さんはパーティーのたびにワインを持(も)ってきます。

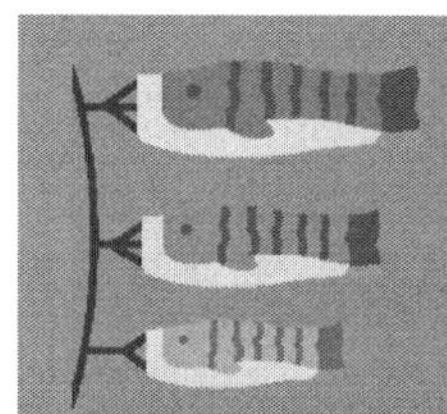

11 강

～ ために ~ 때문에(원인)

학습목표

ために 를 사용해서 원인을 나타내는 표현을 학습합니다.

1. 접속 방법

동사 + ために

이형용사 + ために

나형용사 어간 な+ ために

명사の + ために

この / その + ために

2. 단어

遅(おく)れます 지각합니다, 늦습니다　　降(ふ)ります (비, 눈)내립니다

吸(す)います (담배)핍니다　　少(すく)ない 적다　　低(ひく)い 낮다

強(つよ)い 강하다　　苦手(にがて)だ 서툴다, 못하다

暇(ひま)だ 한가하다　　嫌(きら)いだ 싫어하다

3. 예문

1) 電車(でんしゃ)が遅(おく)れたために、試験(しけん)に間(ま)に合(あ)いませんでした。

전철이 늦는 바람에 시험 시간에 늦었어요.

電車が遅れたために、試験に間に合いませんでした。

---

2) 大雨(おおあめ)が降(ふ)ったために、その試合(しあい)は延期(えんき)になりました。

폭우가 내리는 바람에 그 경기는 연기되었습니다.

---

3) 長(なが)い 間(あいだ) たばこを吸(す)っていたために、父(ちち)は病気(びょうき)になりました。

오랫동안 담배를 피워 왔기 때문에 아버지는 병에 걸렸습니다.

---

4) 給料(きゅうりょう)が少(すく)ないために、新(あたら)しい服(ふく)が買(か)えません。

월급이 적기 때문에 새 옷을 살 수 없어요.

---

5) 今年(ことし)は気温(きおん)が低(ひく)いために、野菜(やさい)があまり育(そだ)ちません。

올해는 기온이 낮기 때문에 채소가 별로 (잘)자라지 않습니다.

---

6) 風が強かったため、庭の木が折れました。

바람이 많이 불어서 정원의 나무가 부러졌어요.

7) 野菜が苦手なために、サラダはあまり食べません。

야채를 잘 못 먹기 때문에 샐러드는 잘 먹지 않아요.

8) とても暇だったため、家を掃除しました。

너무 한가해서 집을 청소했어요.

9) 母は運動が嫌いなために、ジムに行きたがりません。

어머니는 운동을 싫어하기 때문에 헬스장에 가고 싶어하지 않습니다.

10) 事故のために現在 3 キロの渋滞です。

사고 때문에 현재 3 킬로 정체입니다.

4. 회화

A：どうしたんですか？

B：電車(でんしゃ)が遅(おく)れていたため、遅刻(ちこく)します。

A：それは大変(たいへん)でしたね。遅延証明書(ちえんしょうめいしょ)はもらいました？

B：はい、こちらに。

A: 무슨일이에요?

B: 전철이 지연돼서 지각했어요.

A: 힘들었겠네요. 지연증명서는 받았나요?

B: 네, 여기요.

5. 플러스 알파

1) A ために B

A 때문에 B

※ B 에 좋은 결과와 안 좋은 결과가 모두 옵니다.

2) A せいで B

A 탓에 B

※ B 에 안 좋은 결과가 옵니다.

3) A おかげで B

A 덕분에 B

※ B 에 좋은 결과가 옵니다.

6. 확인하기

① 오랫동안 담배를 피워 왔기 때문에 아버지는 병에 걸렸습니다.

② 사고 때문에 현재 3 킬로 정체입니다.

확인하기 정답

① 오랫동안 담배를 피워 왔기 때문에 아버지는 병에 걸렸습니다.

長(なが)い間(あいだ)たばこを吸(す)っていたために、父(ちち)は病気(びょうき)になりました。

② 사고 때문에 현재 3 킬로 정체입니다.

事故(じこ)のために現在(げんざい)3キロの渋滞(じゅうたい)です。

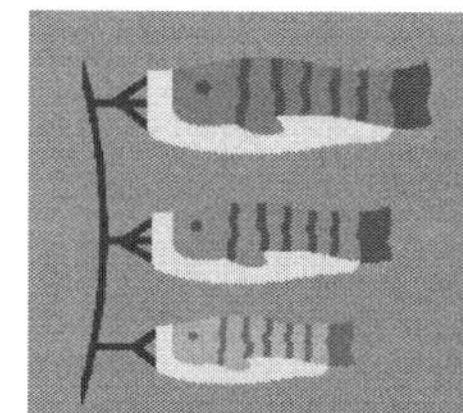

12 강

～たものだ ~하곤 했다

학습목표

たものだ를 사용해서 과거에 자주 있었던 일을 회상하는 표현을 학습합니다.

1. 접속 방법

동사た형 + ものだ

2. 단어

行(い)きます 갑니다　見(み)ます 봅니다　作(つく)ります 만듭니다

電話(でんわ)します 전화합니다　遊(あそ)びます 놉니다

読(よ)みます 읽습니다　します 합니다　来(き)ます 옵니다

勉強(べんきょう)します 공부합니다　旅行(りょこう)します 여행합니다

3. 예문

1) 夏休みには家族で海へ行ったものだ。

여름방학에는 가족끼리 바다에 가곤 했다.

夏休みには家族で海へ行ったものだ。

2) 子供のときは父とよくホラー映画を見たものだが、最近はあまり見ない。

어릴 때는 아버지와 자주 공포영화를 보았는데 요즘은 잘 안 본다.

3) 休みの日には友達とケーキを作ったものだ。

쉬는 날에는 친구들과 케이크를 만들곤 했다.

4) なかなか会えなかったので、彼氏と遅くまで電話したものだ。

좀처럼 만날 수 없었기 때문에 남자친구와 늦게까지 전화를 하곤 했다.

5) 子供のときは川や海で遊んだものだ。

어릴 때는 강이나 바다에서 놀곤 했다.

---

6) 祖父の家にある本をよく読んだものだ。

할아버지 댁에 있는 책을 자주 읽곤 했어.

---

7) 授 業の後、みんなでサッカーをしたものだ。

수업 후에 다같이 축구를 하곤 했다.

---

8) 親友は家族と喧嘩するといつも 私 の家へ来たものだ。

가장 친한 친구는 가족과 싸우면 항상 우리 집에 오곤 했다.

---

9) テストの前はよく山田さんと図書館で 勉 強 したものだ。

시험 전에는 자주 야마다씨와 도서관에서 공부하곤 했다.

---

10) 夏休みと冬休みに家族で旅行したものだ。

여름방학과 겨울방학에 가족끼리 여행을 하곤 했다.

---

4. 회화

A：みなさんは子(こ)どものとき、いつも何(なに)をしていましたか。

B： 私(わたし)は小(ちい)さい頃(ころ)、よく犬(いぬ)と遊(あそ)んだものです。

C：僕(ぼく)は子(こ)どものとき、たくさん本(ほん)を読(よ)んだものです。

A: 여러분은 어렸을 때, 항상 무엇을 했나요?

B: 저는 어렸을 때, 개와 자주 놀곤 했어요.

C: 저는 어렸을 때, 책을 많이 읽곤 했어요.

5. 플러스 알파

～ものだ (당연한 것, 충고 또는 의무)

동사 + ものだ

이형용사 + ものだ

나형용사 어간な + ものだ

お年寄(としよ)りには席(せき)を譲(ゆず)るものだ。

어르신에게는 자리를 양보해야 한다.

6. 확인하기

① 좀처럼 만날 수 없었기 때문에 남자친구와 늦게까지 전화를 하곤 했다.

② 여름방학과 겨울방학에 가족끼리 여행을 하곤 했다.

확인하기 정답

① 좀처럼 만날 수 없었기 때문에 남자친구와 늦게까지 전화를 하곤 했다.

なかなか会(あ)えなかったので、彼氏(かれし)と遅(おそ)くまで電話(でんわ)したものだ。

② 여름방학과 겨울방학에 가족끼리 여행을 하곤 했다.

夏休(なつやす)みと冬休(ふゆやす)みに家族(かぞく)で旅行(りょこう)したものだ。

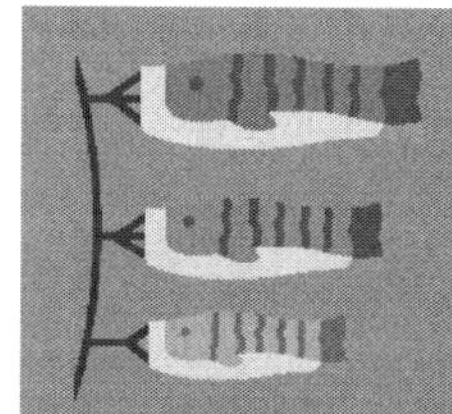

13 강

～だらけ ~투성이

학습목표

だらけ를 사용해서 특정 물질이나 사정이 많이 있다는 것을 나타내는 표현을 학습합니다.

1. 접속 방법

명사 + だらけ

2. 단어

ごみ 쓰레기　　穴(あな) 구멍　　傷(きず) 상처, 흠집

間違(まちが)い 오류, 틀린 것　　ほこり 먼지　　カビ 곰팡이

嘘(うそ) 거짓말　　しわ 주름, 주름살

3. 예문

1) 弟(おとうと)の部屋(へや)はごみだらけで驚(おどろ)いた。

동생의 방은 쓰레기 투성이여서 놀랐다.

弟の部屋はごみだらけで驚いた。

2) 彼はごみだらけの部屋で生活している。

그는 쓰레기 투성이의 방에서 생활하고 있다.

---

3) 冬のコートを出したら、穴だらけになっていた。

겨울 코트를 꺼냈더니 구멍투성이가 되어 있었다.

---

4) この自転車は何年も乗っているので、傷だらけだ。

이 자전거는 몇 년째 타고 있어서 상처투성이다.

---

5) 漢字のテストは間違いだらけだった。

한자 테스트는 실수 투성이였다.

---

6) 日本語の辞書はあまり使わないのでほこりだらけになっています。

일본어 사전은 별로 사용하지 않기 때문에 먼지투성이가 되어 있습니다.

---

7) 家(いえ)の風呂場(ふろば)はカビだらけだったので、掃除(そうじ)しました。

집 욕실은 곰팡이 투성이였기 때문에 청소했습니다.

---

8) 彼(かれ)の 話(はなし) は嘘(うそ)だらけでした。

그의 이야기는 거짓말투성이였어요.

---

9) アイロンをしなかったので、シャツはしわだらけでした。

다림질을 하지 않았기 때문에 셔츠는 주름투성이였어요.

---

10) 雨(あめ)の中(なか)を歩(ある)いて、靴(くつ)が泥(どろ)だらけになってしまった。

빗속을 걷다가 신발이 진흙투성이가 되어 버렸다.

4. 회화

A：今日は家の大掃除をしましょう。

B：え、また？面倒くさいよ。

A：ほら、見て。部屋はごみだらけで、風呂場はカビだらけですよ。

B：はい、はい。分かりました。

A: 오늘은 집 대청소를 합시다.

B: 아, 또? 귀찮아.

A: 이거 봐요. 방은 쓰레기 투성이고, 욕실은 곰팡이 투성이에요.

B: 네네, 알겠어요.

5. 플러스 알파

～まみれ

1) 泥(どろ)だらけ ○

泥(どろ)まみれ ○

2) 間違(まちが)いだらけ ○

間違(まちが)いまみれ ×

※ まみれ는 だらけ와 비슷한 의미이지만, 무엇인가에 흡착되어 있다는 뉘앙스를 갖고 있어서 사용이 제한적입니다.

6. 확인하기

① 일본어 사전은 별로 사용하지 않기 때문에 먼지투성이가 되어 있습니다.

② 그의 이야기는 거짓말투성이였어요.

확인하기 정답

① 일본어 사전은 별로 사용하지 않기 때문에 먼지투성이가 되어 있습니다.

日本語(にほんご)の辞書(じしょ)はあまり使(つか)わないのでほこりだらけになっています。

② 그의 이야기는 거짓말투성이였어요.

彼(かれ)の 話(はなし) は嘘(うそ)だらけでした。

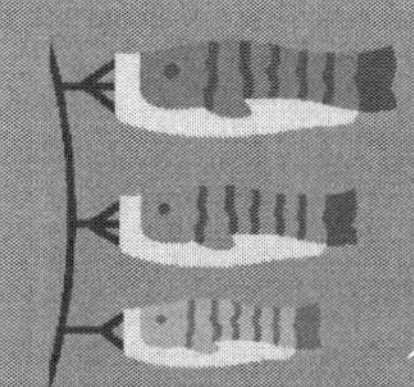

14 강

~だろう ~겠지, ~잖아 (추량, 추측)

학습목표

だろう를 사용해서 화자의 의견을 완곡하게 전달하는 표현을 학습합니다.

1. 접속 방법

동사 + だろう

이형용사 + だろう

나형용사 어간 + だろう

명사 + だろう

2. 단어

行(い)きます 갑니다　　見(み)ます 봅니다　　休(やす)みます 쉽니다

降(ふ)ります (비, 눈)내립니다　　少(すく)ない 적다

高(たか)い 비싸다, 높다　　いい 좋다, 괜찮다

便利(べんり)だ 편리하다　　有名(ゆうめい)だ 유명하다

にぎやかだ 번화하다, 북적거리다

3. 예문

1) 今日(きょう)はテストだから、みんな早(はや)く学校(がっこう)に行(い)くだろう。

오늘은 시험이니까 다들 일찍 학교에 가겠지.

今日はテストだから、みんな早く学校に行くだろう。

2) この映画(えいが)はとても人気(にんき)だから、山田(やまだ)さんも見(み)ただろう。

이 영화는 매우 인기가 많아서 야마다씨도 봤겠지.

3) 明日(あした)は昼(ひる)から雨(あめ)が降(ふ)るだろう。

내일은 낮부터 비가 오겠지.

4) 今月(こんげつ)はアルバイトにあまり行(い)かなかったから、給料(きゅうりょう)は少(すく)ないだろう。

이번 달은 아르바이트를 잘 가지 않았기 때문에, 월급은 적겠지.

5) 東京(とうきょう)に住(す)むのは家賃(やちん)が高(たか)いだろう。

도쿄에 사는 것은 집세가 비싸겠지.

6) 咳(せき)が出(で)るなら、マスクをしたほうがいいだろう。

기침이 나면 마스크를 쓰는 게 좋겠지.

7) タオルはたくさん買(か)ったほうが便利(べんり)だろう。

수건은 많이 사는게 편할겠지.

8) この俳優(はいゆう)はアメリカでも有名(ゆうめい)だろう。

이 배우는 미국에서도 유명하겠지.

9) 明日(あした)は祭(まつ)りがあるから、街(まち)はにぎやかだろう。

내일은 축제가 있으니까 거리는 시끌벅적하겠지.

10) 梅雨(つゆ)だから、明日(あした)もきっと雨(あめ)だろう。

장마니까 내일도 분명 비가 오겠지.

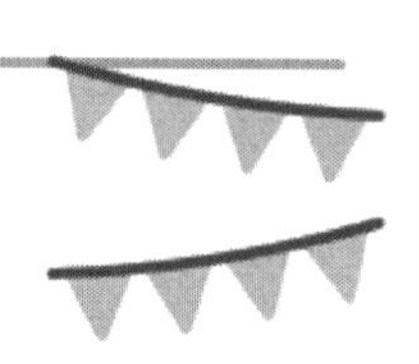

4. 회화

A：Bさん、今日(きょう)の天気(てんき)はどうかな。

B：雨(あめ)のマークがあるから、今日(きょう)は雨(あめ)が降(ふ)るだろう。

A：明日(あした)の天気(てんき)はどうかな。

B：たぶん晴(は)れるだろう。

A: B 씨, 오늘 날씨는 어떠려나.

B: 비 표시가 있으니까 오늘은 비가 오겠지.

A: 내일 날씨는 어떠려나.

B: 아마도 맑겠지.

5. 플러스 알파

でしょう・だろう

1) 추량, 추측

明日(あした)は雨(あめ)が降(ふ)るでしょう。

明日(あした)は雨(あめ)が降(ふ)るだろう。

2) 동의, 확인

この時計(とけい)、かっこいいでしょう？

この時計(とけい)、かっこいいだろう？

※ でしょう・だろう는 끝부분의 억양을 내려서 말하면 '추량, 추측'의 용법, 끝부분의 억양을 올려서 말하면 '동의, 확인'의 용법으로 사용할 수 있습니다.

6. 확인하기

① 이번 달은 아르바이트를 잘 가지 않았기 때문에, 월급은 적겠지.

② 장마니까 내일도 분명 비가 오겠지.

확인하기 정답

① 이번 달은 아르바이트를 잘 가지 않았기 때문에, 월급은 적겠지.

今月(こんげつ)はアルバイトにあまり行(い)かなかったから、給料(きゅうりょう)は少(すく)ないだろう。

② 장마니까 내일도 분명 비가 오겠지.

梅雨(つゆ)だから、明日(あした)もきっと雨(あめ)だろう。

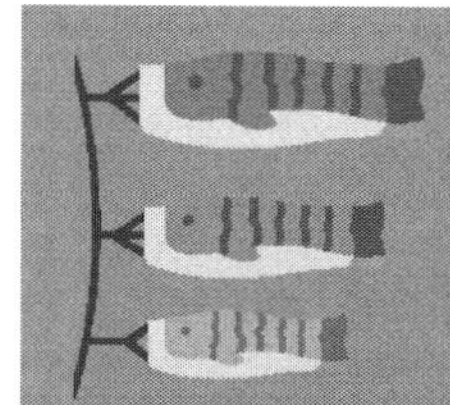

15 강

～だけ ~만큼, ~한

학습목표

だけ를 사용해서 범위내에서, 또는 그 범위에서 가능한 최대치라는 표현을 학습합니다.

1. 접속 방법

동사 + だけ

이형용사 + だけ

나형용사 어간 な + だけ

2. 단어

行(い)きます 갑니다　　読(よ)みます 읽습니다

書(か)きます 씁니다, 적습니다　　食(た)べます 먹습니다

買(か)います 삽니다　　持(も)ってきます 가져 옵니다

泣(な)きます 웁니다　　取(と)ります 취득합니다

持(も)ちます 소지합니다　　好(す)きだ 좋아하다

3. 예문

1) 母が入院しましたから、病院に行けるだけ行くつもりです。

어머니가 입원하셨기 때문에 병원에 갈 수 있는 만큼 갈 생각입니다.

母が入院しましたから、病院に行けるだけ行くつもりです。

2) ここにある漢字を読めるだけ読んでください。

여기 있는 한자를 읽을 수 있을 만큼 읽어주세요.

3) 知っている国の名前を書けるだけ書いてみよう。

아는 나라 이름을 쓸 수 있을 만큼 써보자.

4) この店は食べ放題だから、食べられるだけ食べたい。

이 가게는 무한리필이니까 먹을 수 있는 만큼 먹고 싶어.

5) 日本のお土産を買えるだけ買って国へ帰ります。

일본의 기념품을 살 수 있는 만큼 사서 고향으로 돌아갑니다.

6) 家にある本を持ってこられるだけ持ってきてください。

집에 있는 책을 가져올 수 있을 만큼 가져다 주세요.

7) 悲しいときは泣きたいだけ泣けばいいよ。

슬플 때는 울고 싶은 만큼 울면 돼.

8) 学生のうちに資格は取れるだけ取るつもりです。

학생일 때에 자격증은 딸 수 있을 만큼 딸 거예요.

9) ここにある箱を持てるだけ持って、二階へ行ってください。

여기 있는 상자를 들 수 있는 만큼 가지고 이층으로 가세요.

10) 今日は好きなだけケーキを食べてもいいですよ。

오늘은 원하는 만큼 케이크를 먹어도 돼요.

4. 회화

A：喉乾(のどかわ)いたなぁ。

B：私(わたし)、お水持(みずも)ってきました。どうぞ。

A：いいですか？B さんも喉乾(のどかわ)いたでしょう。

B：私(わたし)は大丈夫(だいじょうぶ)です。飲(の)みたいだけ、飲(の)んでもいいですよ。

A：ありがとうございます。では、遠慮(えんりょ)なく。

A: 목마르다.

B: 저 물을 가져 왔어요. 드세요.

A: 괜찮아요? B 씨도 목 마르잖아요.

B: 저는 괜찮아요. 마시고 싶은 만큼 마셔도 돼요.

A: 고마워요. 그럼 사양않고 마실게요.

5. 플러스 알파

명사＋だけ

土曜日(どようび)だけ働(はたら)きます。

토요일만 일해요.

※ 명사＋だけ는 한정하는 용법으로 사용합니다.

6. 확인하기

① 슬플 때는 울고 싶은 만큼 울면 돼.

② 오늘은 원하는 만큼 케이크를 먹어도 돼요.

확인하기 정답

① 슬플 때는 울고 싶은 만큼 울면 돼.

悲(かな)しいときは泣(な)きたいだけ泣(な)けばいいよ。

② 오늘은 원하는 만큼 케이크를 먹어도 돼요.

今日(きょう)は好(す)きなだけケーキを食(た)べてもいいですよ。

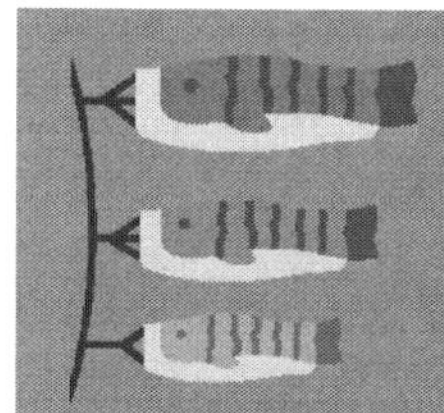

16 강

たとえ〜ても 설령 ~라도

학습목표

たとえ〜ても를 사용해서 특정 조건이 사건에 영향을 미치지 않는다는 표현을 학습합니다.

1. 접속 방법

たとえ 동사て 형 + も

たとえ 이형용사 어간くて + も

たとえ 나형용사 어간で+ も/であっても

たとえ 명사で + も/であっても

2. 단어

言(い)います 말합니다　　勉強(べんきょう)します 공부합니다

失敗(しっぱい)します 실패합니다　　少(すく)ない 적다

高(たか)い 비싸다, 높다　　ない 없다

有名(ゆうめい)だ 유명하다　　きれいだ 예쁘다, 깨끗하다

静(しず)かだ 조용하다

3. 예문

1) たとえ彼が何を言っても、私は絶対許しません。

설령 그가 무슨 말을 해도 저는 절대 용서하지 않을 거예요.

たとえ彼が何を言っても、私は絶対許しません。

2) たとえ1日8時間勉強しても、来週のテストには間に合いません。

설령 하루에 8 시간을 공부해도 다음 주 시험에는 맞출 수 없어요.

3) たとえ失敗しても、また挑戦すればいいです。

비록 실패하더라도 다시 도전하면 됩니다.

4) たとえ給料が少なくても、自分がやりたい仕事をします。

비록 월급이 적더라도 자신이 하고 싶은 일을 할 겁니다.

5) たとえ学費が高くても、あの大学に入りたいんです。

비록 학비가 비싸더라도 그 대학에 들어가고 싶습니다.

---

6) たとえ 車 がなくても、自転車があれば十 分 です。

설령 차가 없어도 자전거가 있으면 충분합니다.

---

7) たとえあの 祭 が有名でも、人が多いので行きたく

ありません。

설령 그 축제가 유명하더라도 사람이 많기 때문에 가고 싶지
않습니다.

---

8) たとえ顔がきれいでも、性格が悪い人とは付き合いたく

ない。

설령 얼굴이 예쁘더라도 성격이 나쁜 사람과는 사귀고 싶지 않다.

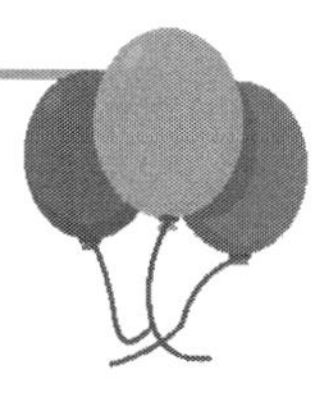

9) たとえ静(しず)かな町(まち)でも、買(か)い物(もの)に不便(ふべん)なら住(す)みたくない。

비록 조용한 동네라도 쇼핑이 불편하면 살고 싶지 않다.

---

10) たとえ日本人(にほんじん)でも、この漢字(かんじ)は 難(むずか)しくて読(よ)めません。

설령 일본인이라도, 이 한자는 어려워서 읽을 수 없습니다.

4. 회화

先生：このクラスで誰(だれ)が一番(いちばん)、漢字(かんじ)が得意(とくい)ですか。

学生：A さんです。

先生：確(たし)かに、A さんは漢字(かんじ)が得意(とくい)ですね。今(いま)から難(むずか)しい漢字(かんじ)を見(み)せます。A さんは、読(よ)めると思(おも)いますか。

学生：はい。A さんは漢字(かんじ)が得意(とくい)ですから。

-嘘-

先生：（漢字を見せて）A さん、どうですか。

A：読(よ)めません。

先生：これはとても難(むずか)しい漢字(かんじ)です。たとえ漢字(かんじ)が得意(とくい)でも、この漢字(かんじ)は読(よ)めません。

先生：日本人(にほんじん)は読(よ)めると思(おも)いますか。

学生：はい、読(よ)めると思(おも)います。

先生：実(じつ)は、日本人(にほんじん)も読(よ)めません。あまり使(つか)いませんから…
たとえ日本人(にほんじん)でも、この漢字(かんじ)は読(よ)めません。

선생님: 이 반에서 누가 제일 한자를 잘 알고 있나요?

학생: A 씨예요.

선생님: 맞네요, A 씨는 한자를 잘 알죠. 지금부터 어려운 한자를 보여줄게요. A 씨는 읽을 수 있을까요?

학생: 네, A 씨는 한자를 잘 아니까요.

-嚏-

선생님: (한자를 보여주면서) A 씨 어때요?

A: 못 읽겠어요.

선생님: 이건 매우 어려운 한자예요. 설령 한자를 잘 알더라도 이 한자는 못 읽습니다. 일본인은 읽을 수 있을 거라고 생각하나요?

학생: 네, 읽을 수 있을 거라고 생각해요.

선생님: 실은 일본인도 못 읽어요. 별로 사용하지 않거든요. 설령 일본이이라도 이 한자는 못 읽어요.

5. 플러스 알파

いくら～ても / どんなに～ても 아무리 ~해도

1) いくら電話(でんわ)をかけても、山田(やまだ)さんはでないだろう。

아무리 전화를 걸어도 야마다 씨는 안 받겠지.

2) どんなに電話(でんわ)をかけても、山田(やまだ)さんはでないだろう。

아무리 전화를 걸어도 야마다 씨는 안 받겠지.

3) たとえ電話(でんわ)をかけても、山田さんはでないだろう。

설령 전화를 건다고 해도 야마다씨는 안 받겠지.

※ いくら～ても / どんなに～ても 는 횟수나 정도의 뉘앙스르 내포합니다.

6. 확인하기

① 설령 하루에 8 시간을 공부해도 다음 주 시험에는 맞출 수 없어요.

---

② 비록 조용한 동네라도 쇼핑이 불편하면 살고 싶지 않다.

확인하기 정답

① 설령 하루에 8 시간을 공부해도 다음 주 시험에는 맞출 수 없어요.

たとえ1日8時間勉強しても、来週のテストには間に合いません。

---

② 비록 조용한 동네라도 쇼핑이 불편하면 살고 싶지 않다.

たとえ静かな町でも、買い物に不便なら住みたくない。

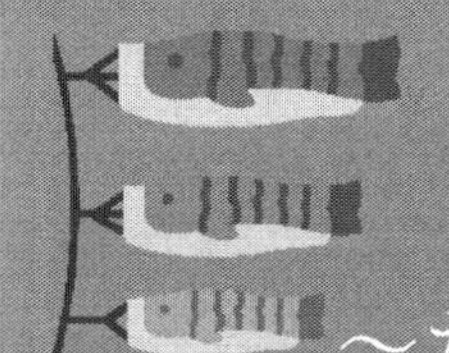

17 강

~だけでなく…も ~뿐만 아니라 …도

학습목표

だけでなく...も를 사용해서 범위가 더 넓게 미친다는 표현을 학습합니다.

1. 접속 방법

동사 + だけでなく...も

이형용사 + だけでなく...も

나형용사 어간 な / である+ だけでなく...も

명사 / である+ だけでなく...も

2. 단어

話(はな)します 이야기합니다　　書(か)きます 씁니다

買(か)います 삽니다　　おいしい 맛있다　　楽(たの)しい 즐겁다

おもしろい 재미있다　　きれいだ 예쁘다, 깨끗하다

親切(しんせつ)だ 친절하다　　静(しず)かだ 조용하다

3. 예문

1) 田中さんは電話で話すだけでなくメールも送って

くれました。

다나카 씨는 전화로 이야기할 뿐만 아니라 메일도 보내 주었습니다.

田中さんは電話で話すだけでなくメールも送って

くれました。

2) 漢字は書くだけでなく読むことも 難 しい。

한자는 쓰기 뿐만 아니라 읽기도 어렵다.

3) あのレストランはおいしいだけでなく、安いことも

有名です。

그 레스토랑은 맛있을 뿐만 아니라, 싼 것으로도 유명합니다.

4) このゲームは楽しいだけでなく、絵もきれいです。

이 게임은 재미있을 뿐만 아니라 그림도 예뻐요.

5) 先生(せんせい)の話(はなし)はおもしろいだけでなく日本語(にほんご)の勉強(べんきょう)にもなります。

선생님의 말씀은 재미있을 뿐만 아니라 일본어 공부도 됩니다.

---

6) リンさんはきれいなだけでなく頭(あたま)もいいですから、友達(ともだち)が多(おお)いです。

린씨는 예쁠뿐만 아니라 머리도 좋아서 친구가 많습니다.

---

7) アルバイトの店長(てんちょう)は親切(しんせつ)なだけでなく真面目(まじめ)でもあります。

아르바이트 점장은 친절할 뿐만 아니라 성실하기도 합니다.

---

8) この街(まち)は静(しず)かなだけでなく便利(べんり)なところも好(す)きです。

이 거리는 조용한 것 뿐만 아니라, (생활이)편리한 부분도 좋아합니다.

---

9) 私(わたし)はビールだけでなくワインも好(す)きです。

저는 맥주뿐만 아니라 와인도 좋아해요.

---

10) 毎日(まいにち)肉(にく)だけでなく野菜(やさい)も食(た)べたほうがいいですよ。

매일 고기뿐만 아니라 야채도 먹는 편이 좋아요.

4. 회화

A：Bさんはダイエットのために、何(なに)をしますか。教(おし)えて下(くだ)さい。

B：野菜(やさい)をたくさん食(た)べます。

A：なるほど。じゃ、ダイエットのために野菜(やさい)をたくさん食(た)べる、だけでいいですか。

B：いいえ。野菜(やさい)を食(た)べるだけでなく、運動(うんどう)もします。

A：じゃ、何(なに)を食(た)べたらいいですか。どんな野菜(やさい)？キャベツなど？

B：キャベツだけでなく、トマトも食(た)べます。

A: B 씨는 다이어트를 위해서 무엇을 하나요? 알려주세요

B: 채소를 많이 먹어요.

A: 그렇군요. 그럼 다이어트를 위해서 채소를 많이 먹는 것, 만으로 되나요?

B: 아니오, 채소를 많이 먹는 것뿐만 아니라 운동도 해요.

A: 그럼 뭘 먹으면 좋을까요? 어떤 채소요? 양배추 등이요?

B: 양배추뿐만 아니라 토마토도 먹어요.

5. 플러스 알파

ばかりでなく・のみならず

1) キャベツだけでなく、トマトも食(た)べます。

양배추뿐만이 아니라 토마토도 먹어요.

2) キャベツばかりでなく、トマトも食(た)べます。

양배추만이 아니라 토마토도 먹습니다.

3) キャベツのみならず、トマトも食(た)べます。

양배추에 한정하지 않고 토마토도 먹습니다.

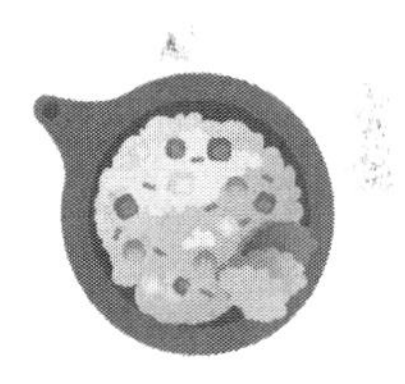

※ ばかりでなく・のみならずは だけでなく에 비해서 딱딱한 표현으로 정중한 자리에서나 문어체로도 사용할 수 있습니다.

6. 확인하기

① 그 레스토랑은 맛있을 뿐만 아니라, 싼 것으로도 유명합니다.

② 매일 고기뿐만 아니라 야채도 먹는 편이 좋아요.

확인하기 정답

① 그 레스토랑은 맛있을 뿐만 아니라, 싼 것으로도 유명합니다.

あのレストランはおいしいだけでなく、安(やす)いことも有名(ゆうめい)です。

② 매일 고기뿐만 아니라 야채도 먹는 편이 좋아요.

毎日肉(まいにちにく)だけでなく野菜(やさい)も食(た)べたほうがいいですよ。

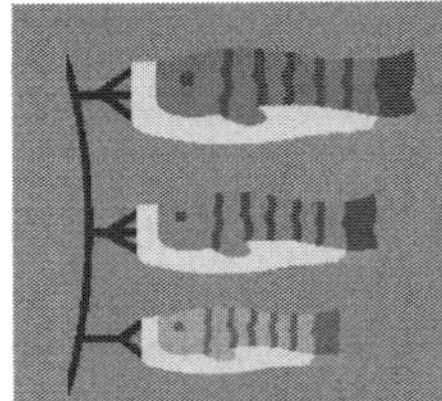

18 강

～たがる -하고 싶어 하다

학습목표

たがる를 사용해서 제 3 자의 희망에 대한 표현을 학습합니다.

1. 접속 방법

동사ます형 + たがる

2. 단어

行(い)きます 갑니다　　見(み)ます 봅니다

聞(き)きます 듣습니다, 묻습니다　　会(あ)います 만납니다

食(た)べます 먹습니다　　知(し)ります 압니다

買(か)います 삽니다, 구매합니다　　勉強(べんきょう)します 공부합니다

受(う)けます (시험)칩니다,받습니다　　話(はな)します 이야기합니다

運動(うんどう)します 운동합니다

3. 예문

1) 彼女は映画館に行くといつもホラー映画を見たがる。

그녀는 영화관에 가면 항상 공포 영화를 보고 싶어 한다.

彼女は映画館に行くといつもホラー映画を見たがる。

2) 山田さんは 私 が別れた理由を聞きたがっているらしい。

야마다씨는 내가 헤어진 이유를 듣고 싶어하는 것 같다.

3) 両 親 は 私 の友達に会いたがっている。

부모님은 내 친구를 만나고 싶어하신다.

4) 学校の友達は 私 の料理を食べたがらない。

학교 친구들은 내 요리를 먹고 싶어하지 않는다.

5) 子どもはなんでも知りたがる。

아이들은 뭐든지 궁금해한다.

6) 母はあの高いバッグを何年も買いたがっている。

어머니는 그 비싼 가방을 몇 년째 사고 싶어 한다.

7) トムさんはN2を受けたがっているが、N3を受けたほうが良いと思う。

톰 씨는 N2를 치고 싶어 하지만, N3를 치는 게 좋을 것 같아.

8) 友達はアルバイトを辞めた理由を話したがらない。

친구는 아르바이트를 그만둔 이유를 말하고 싶어하지 않는다.

9) 弟はダイエットしたほうが良いのに、運動したがらない。

동생은 다이어트하는 게 좋은데 운동하고 싶어하지 않아.

10) わたしの姉も日本語を勉強したがっています。

제 언니도 일본어를 공부하고 싶어합니다.

4. 회화

A：今週末(こんしゅうまつ)、3人(にん)でご飯(はん)に行(い)きませんか？

B：3人(にん)で？Cさんもですか？いいでしょう。

A：何(なに)が食(た)べたいですか？

B：私(わたし)は何(なん)でもいいですけど、Cさんはオムライスを食(た)べたがっています。

A：僕(ぼく)、オムライスのおいしい店(みせ)を知(し)っています。

B：じゃ、後(あと)でCさんにも言(い)っておきますね。きっと喜(よろこ)びますよ。

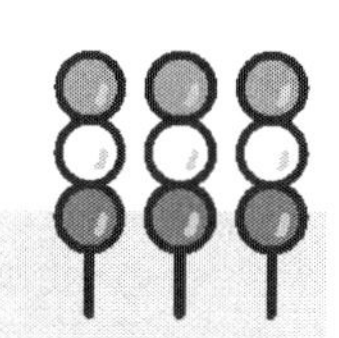

A: 이번 주말 3 명이서 밥먹으러 가지 않을래요?

B: 3 명이서요? C 씨도요? 좋은데요.

A: 뭘 먹고 싶어요?

B: 저는 뭐든 좋은데요, C 씨는 오므라이스를 먹고 싶어해요.

A: 제가 오므라이스가 맛있는 가게를 알고 있어요.

B: 그럼 나중에 C 씨에게도 말해 둘게요. 분명 좋아할 거예요.

5. 플러스 알파

1) 명사＋が欲しい ~를 갖고 싶다

※ 欲しい는 1, 2 인칭의 희망에 대해서 표현할 때 사용합니다.

2) 명사＋を欲しがる／欲しがっている ~를 갖고 싶어하다

※ 欲しがる／欲しがっている는 3 자의 희망에 대해서 표현할 때 사용합니다. 또한 '을/를'의 의미의 조사는 が가 아닌 を를 사용합니다.

6. 확인하기

① 야마다씨는 내가 헤어진 이유를 듣고 싶어하는 것 같다.

---

② 어머니는 그 비싼 가방을 몇 년째 사고 싶어 한다.

확인하기 정답

① 야마다씨는 내가 헤어진 이유를 듣고 싶어하는 것 같다.

山田さんは 私 が別れた理由を聞きたがっているらしい。

② 어머니는 그 비싼 가방을 몇 년째 사고 싶어 한다.

母はあの高いバッグを何年も買いたがっている。

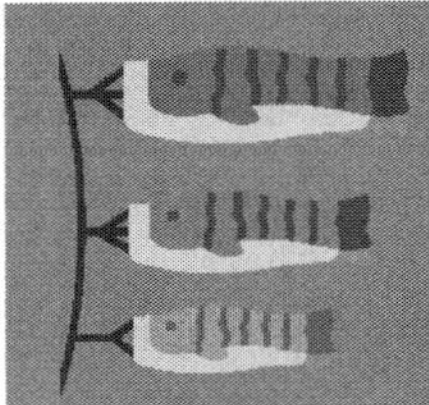

19 강

～せいで ~탓에

학습목표

せいで를 사용해서 어떤 원인으로 인해 안 좋은 결과로 이어졌다는 표현을 학습합니다.

1. 접속 방법

동사 + せいで

이형용사 + せいで

나형용사 어간 な + せいで

명사 の + せいで

2. 단어

吸(す)います (담배)핍니다　見(み)ます 봅니다　映画(えいが) 영화

運動(うんどう)します 운동합니다　高(たか)い 높다, 비싸다

速(はや)い 빠르다　重(おも)い 무겁다　下手(へた)だ 못한다, 서툴다

にぎやかだ 번화하다, 북적거리다　台風(たいふう) 태풍

3. 예문

1) 何年(なんねん)もたばこを吸(す)ってきたせいで、父(ちち)は病気(びょうき)になりました。

몇 년 동안 담배를 피워 온 탓에 아버지는 병에 걸렸습니다.

何年もたばこを吸ってきたせいで、父は病気になりました。

---

2) ホラー映画(えいが)を見(み)たせいで眠(ねむ)れませんでした。

공포 영화를 보는 바람에 잠을 못 잤어요.

---

3) 久(ひさ)しぶりに運動(うんどう)したせいで足(あし)が痛(いた)いです。

오랜만에 운동한 바람에 다리가 아파요.

---

4) 電気代(でんきだい)が高(たか)かったせいで、今月(こんげつ)はお金(かね)がありません。

전기세가 비쌌기 때문에 이번 달에는 돈이 없어요.

---

5) 話(はな)すのが速(はや)かったせいで聞(き)き取(と)れませんでした。

말이 빨랐기 때문에 못 알아들었어요.

---

6) 荷物(にもつ)が重(おも)いせいで走(はし)れません。

짐이 무거워서 달릴 수가 없어요.

---

7) 今日(きょう)は祭(まつ)りです。外(そと)がにぎやかなせいで眠(ねむ)れません。

오늘은 축제입니다. 밖이 시끌벅적해서 잠을 잘 수가 없어요.

---

8) 字(じ)が下手(へた)なせいで手紙(てがみ)を書(か)くのが恥(は)ずかしい。

글씨를 잘 못쓰는 바람에 편지 쓰기가 부끄럽다.

---

9) あの映画(えいが)のせいで、私(わたし)が好(す)きな俳優(はいゆう)は悪(わる)いイメージになりました。

그 영화 때문에 제가 좋아하는 배우는 나쁜 이미지가 되었어요.

---

10) 台風(たいふう)のせいで大事(だいじ)な試合(しあい)が中止(ちゅうし)になった。

태풍 때문에 중요한 경기가 중지되었다.

---

4. 회화

A：顔色(かおいろ)が悪(わる)いですよ。どうかしましたか？

B：昨日(きのう)、友達(ともだち)と怖(こわ)い映画(えいが)を見(み)ました。とても怖(こわ)かったです。

A：あ、もしかしてあのゾンビ映画(えいが)ですか？

B：はい、怖(こわ)い映画(えいが)だったせいで眠(ねむ)れませんでした。

A：あ、そうですか。

A: 안색이 안좋은데요. 무슨 일 있어요?

B: 어제 친구와 무서운 영화를 봤어요. 상당히 무서웠어요.

A: 아, 혹시 그 좀비 영화요?

B: 네, 무서운 영화탓에 못 잤어요.

A: 아 그랬어요.

5. 플러스 알파

1) A ために B

A 때문에 B

※ B 에 좋은 결과와 안 좋은 결과가 모두 옵니다.

2) A せいで B

A 탓에 B

※ B 에 안 좋은 결과가 옵니다.

3) A おかげで B

A 덕분에 B

※ B 에 좋은 결과가 옵니다.

6. 확인하기

① 오늘은 축제입니다. 밖이 시끌벅적해서 잠을 잘 수가 없어요.

---

② 태풍 때문에 중요한 경기가 중지되었다.

확인하기 정답

① 오늘은 축제입니다. 밖이 시끌벅적해서 잠을 잘 수가 없어요.

今日(きょう)は祭(まつ)りです。外(そと)がにぎやかなせいで眠(ねむ)れません。

---

② 태풍 때문에 중요한 경기가 중지되었다.

台風(たいふう)のせいで大事(だいじ)な試合(しあい)が中止(ちゅうし)になった。

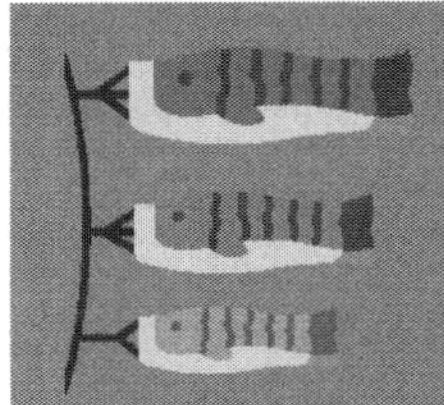

20강

～ずに ~하지 않고

학습목표

ずに를 사용해서 동작을 하지 않는다는 표현을 학습합니다.

1. 접속 방법

동사ない형 + ずに

예외) します → せずに

2. 단어

書(か)きます 쓥니다, 적습니다　　食(た)べます 먹습니다

行(い)きます 갑니다　　入(はい)ります 들어갑니다, 들어옵니다

読(よ)みます 읽습니다　　買(か)います 삽니다, 구매합니다

言(い)います 말합니다　　作(つく)ります 만듭니다

勉強(べんきょう)します 공부합니다　　掃除(そうじ)します 청소합니다

3. 예문

1) 名前(なまえ)を書(か)かずにテストを出(だ)してしまいました。

이름을 쓰지 않고 시험지를 내 버렸어요.

名前を書かずにテストを出してしまいました。

2) 寝坊(ねぼう)したので、朝(あさ)ごはんを食(た)べずに学校(がっこう)に来(き)ました。

늦잠을 자서 아침을 먹지 않고 학교에 왔어요.

3) お腹(なか)が痛(いた)いです。今日(きょう)はどこにも行(い)かずにうちで寝(ね)ます。

배가 아파요. 오늘은 아무데도 가지 않고 집에서 잘 거예요.

4) とても疲(つか)れていたので、お風呂(ふろ)に入(はい)らずに寝(ね)ました。

너무 피곤했기 때문에 목욕을 하지 않고 잤어요.

5) 説明書(せつめいしょ)を読(よ)まずにこのいすを組(く)み立(た)てました。

설명서를 읽지 않고 이 의자를 조립했어요.

6) スーパーに行ったのに何も買わずに帰りました。

슈퍼에 갔는데 아무것도 사지 않고 돌아왔어요.

---

7) 昨日、彼は何も言わずに帰りました。

어제 그는 아무 말도 하지 않고 돌아갔습니다.

---

8) 今日は晩ご飯は作らずにレストランで食べましょう。

오늘은 저녁은 만들지 말고 레스토랑에서 먹읍시다.

---

9) 明日は漢字のテストなのに、勉強せずにゲームをしてしまいました。

내일은 한자시험인데 공부를 안하고 게임을 해버렸어요.

---

10) 一ヶ月も掃除せずにいるなんて、信じられない。

한 달 동안 청소를 안 하고 있다니 믿을 수가 없어.

---

4. 회화

A：アルバイトのあと、晩(ばん)ご飯(はん)を作(つく)りますか？

B：いいえ、晩(ばん)ご飯(はん)を作(つく)らずにコンビニで買(か)います。

A：私(わたし)もいつもコンビニ弁当(べんとう)で済(す)まします。

B：疲(つか)れてますもんね。

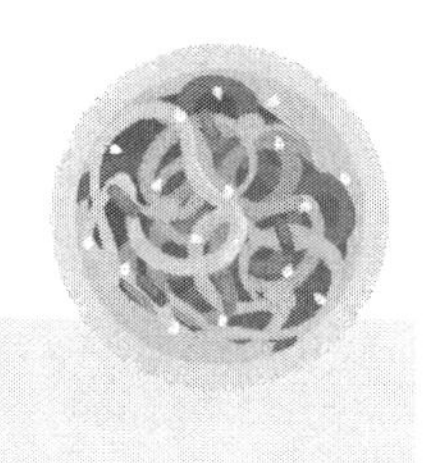

A: 아르바이트가 끝나고 저녁밥을 만드나요?

B: 아니오, 저녁밥은 만들지 않고 편의점에서 사요.

A: 저도 항상 편의점 도시락으로 때워요.

B: 피곤하니까요.

5. 플러스 알파

ないで

1) 晩ご飯を作らずにコンビニで買います。

2) 晩ご飯を作らないでコンビニで買います。

저녁밥을 만들지 않고 편의점에서 사요.

※ 두 문장은 같은 의미이며, ずには ないで에 비해서
딱딱하고 격식 있는 문체로 문어체로도 사용합니다.

6. 확인하기

① 내일은 한자시험인데 공부를 안하고 게임을 해버렸어요.

② 늦잠을 자서 아침을 먹지 않고 학교에 왔어요.

확인하기 정답

① 내일은 한자시험인데 공부를 안하고 게임을 해버렸어요.

明日(あした)は漢字(かんじ)のテストなのに、勉強(べんきょう)せずにゲームをして

しまいました。

② 늦잠을 자서 아침을 먹지 않고 학교에 왔어요.

寝坊(ねぼう)したので、朝(あさ)ごはんを食(た)べずに学校(がっこう)に来(き)ました。

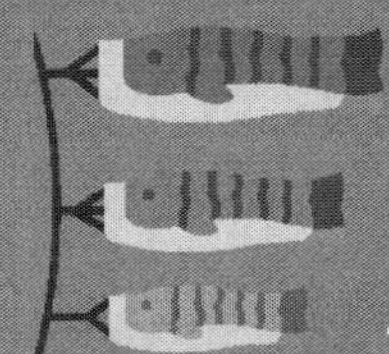

21강

つい～てしまう 그만 ~해 버리다

학습목표

つい～てしまう 를 사용해서 계획이나 예상에 없던 일을 했다는 표현을 학습합니다.

1. 접속 방법

つい + 동사て형 + しまう

2. 단어

買(か)う 사다, 구입하다　　言(い)う 말하다

食(た)べる 먹다　　飲(の)む 마시다　　手(て)が出(で)る 손이 나가다

3. 예문

1) とても素敵(すてき)な食器(しょっき)を見(み)つけて、つい買(か)ってしまった。

아주 멋진 식기를 발견하고 그만 사버렸다.

とても素敵な食器を見つけて、つい買ってしまった。

2) 言(い)ってはいけないのに、我慢(がまん)できずつい言(い)ってしまった。

말해서는 안 되는데 참지 못하고 그만 말하고 말았다.

---

3) ダイエット中(ちゅう)だから気(き)をつけているのに、つい食(た)べ過(す)ぎてしまった。

다이어트 중이라 조심하고 있는데 그만 과식하고 말았다.

---

4) 最近(さいきん)お酒(さけ)は飲(の)まないようにしているのに、つい飲(の)んでしまった。

요즘 술은 안 마시려고 하는데 그만 마셔버렸다.

---

5) 彼(かれ)は怒(おこ)るとつい手(て)が先(さき)に出(で)てしまう。

그는 화가 나면 그만 손이 먼저 나간다.

---

6) 親(おや)につい嘘(うそ)をついてしまった。

부모님께 그만 거짓말을 하고 말았다.

---

7) 子供につい言い過ぎてしまった。

아이에게 그만 말을 너무 심하게 해 버렸다.

---

8) つい怒り過ぎてしまった。

그만 너무 화를 내고 말았다.

---

9) 友達とつい長電話してしまい、気付いたら 3時間経っていました。

친구와 그만 오래 전화해 버려서, 정신을 차려 보니 3 시간이 지나 있었습니다.

---

10) もうすぐテストなのに、ついだらだら過ごしてしまった。

곧 시험인데 그만 빈둥빈둥 (시간을) 보내고 말았다.

4. 회화

A：このチョコ、今週(こんしゅう)の新商品(しんしょうひん)だよね。

B：うん、コンビニに行(い)ったらこれがあって、つい買(か)ってしまった。一緒(いっしょ)に食(た)べよう。

A：ありがとう。食(た)べてみたかったよ、これ。

B：ダイエットは明日(あした)から！

A: 이 초콜렛, 이번주 신상품이네.

B: 응, 편의점에 갔더니 이게 있어서 그만 사고 말았어. 같이 먹자.

A: 고마워. 먹어 보고 싶었어, 이거.

B: 다이어트는 내일부터!

5. 플러스 알파

1) 완료

ぜんぶ よ
全部読んでしまいました。

전부 읽어 버렸어요.

2) 미래완료

かたづ
片付けてしまいます。

정리해 버릴게요.

3) 아쉬움

かさ わす
傘を忘れてしまいました。

우산을 잊어버리고 말았어요.

※ てしまう는 문맥에 따라서 다양한 용법으로 사용할 수 있습니다.

6. 확인하기

① 다이어트 중이라 조심하고 있는데 그만 과식하고 말았다.

② 부모님께 그만 거짓말을 하고 말았다.

확인하기 정답

① 다이어트 중이라 조심하고 있는데 그만 과식하고 말았다.

ダイエット中(ちゅう)だから気(き)をつけているのに、つい食(た)べ過(す)ぎてしまった。

② 부모님께 그만 거짓말을 하고 말았다.

親(おや)についウソ嘘(うそ)をついてしまった。

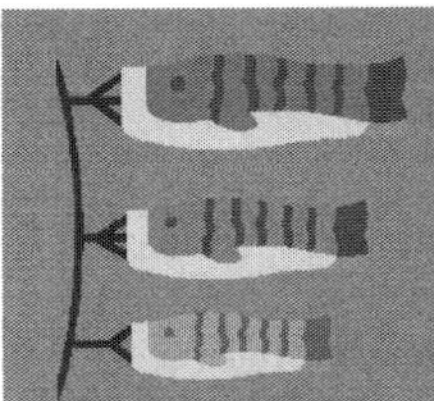

22 강

～っけ ~이었던가?

학습목표

っけ를 사용해서 기억이 확실하지 않은 사실을 확인하는 표현을 학습합니다.

1. 접속 방법

동사 + っけ

이형용사 + っけ

나형용사 + っけ

명사だ + っけ

2. 단어

する 하다　　言う(い) 말하다　　閉める(し) 닫다

何日(なんにち) 며칠　　どこ 어디

3. 예문

1) 明日(あした)の宿題(しゅくだい)したっけ？

내일 숙제했었나?

明日の宿題したっけ？

2) 明日(あした)の準備(じゅんび)はしたっけ？

내일 준비는 했었나?

3) 窓(まど)閉(し)めたっけ？

창문 닫았나?

4) あれ、鍵(かぎ)かけたっけ？

어머, 열쇠 잠갔나?

5) 彼(かれ)、こんなにハンサムだっけ？

그 사람, 이렇게 잘생겼나?

6) 以前(いぜん)会(あ)ったことあったっけ？

전에 만난 적이 있었나?

---

7) あれ、買(か)うもの何(なん)だっけ？

어, 살 거 뭐였지?

---

8) あの人誰(だれ)だっけ？

저 사람 누구더라?

---

9) 定期試験(ていきしけん)、何日(なんにち)だっけ？

정기시험, 며칠이더라?

---

10) 以前(いぜん)、名前(なまえ)を聞(き)いたはずなんだけど、彼女(かのじょ)の名前(なまえ)何(なに)だっけ？

예전에 이름을 들었을 텐데, 그녀의 이름이 뭐더라?

---

4. 회화

A：何(なに)にする？

B：暑(あつ)くなってきたし、そばはどう？

A：いいね。駅前(えきまえ)のそば屋(や)、おいしかったっけ？

B：うん、あそこならコスパもいいし、おいしいよ。

A：じゃ、決(き)まりだね！

A: 뭐로 할래?

B: 더워지기도 했고, 소바로 할래?

A: 좋네. 역앞에 소바집, 맛있었던가?

B: 응, 거기라면 가성비도 좋고, 맛있어.

A: 그럼 결정됐네!

5. 연습하기

1) 鍵(かぎ)を閉(し)めたか。→鍵(かぎ)を閉(し)めたっけ？

열쇠 잠궜던가?

2) 会議(かいぎ)は何時(いつ)か。→会議(かいぎ)は何時(いつ)だっけ？

회의는 언제더라?

3) あのレストランは今日休(きょうやす)みか。→あのレストランは今日休(きょうやす)みだっけ？

저 레스토랑 오늘 휴무였던가?

6. 확인하기

① 전에 만난 적이 있었나?

---

② 예전에 이름을 들었을 텐데, 그녀의 이름이 뭐더라?

확인하기 정답

① 전에 만난 적이 있었나?

以前会ったことあったっけ？

---

② 예전에 이름을 들었을 텐데, 그녀의 이름이 뭐더라?

以前、名前を聞いたはずなんだけど、彼女の名前何だっけ？

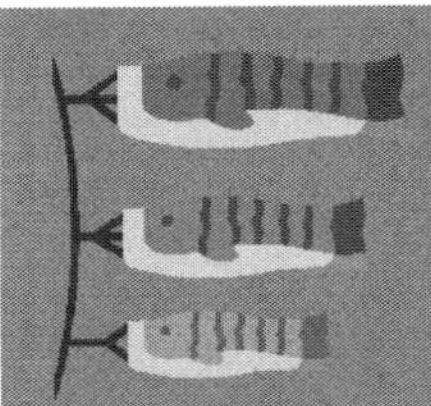

23 강

～じゃない？ ~아니야?

학습목표

じゃない를 사용해서 상대에게 추측, 확인 또는 비난하는 표현을 학습합니다.

1. 접속 방법

동사 +じゃない

이형용사 +じゃない

나형용사 어간 +じゃない

명사 +じゃない

2. 단어

来(き)ます 옵니다　　遅(おく)れます 늦습니다　　暇(ひま)だ 한가하다

食(た)べます 먹습니다　　おいしい 맛있다

高(たか)い 높다, 비싸다　　早(はや)い 이르다, 빠르다

有名(ゆうめい)だ 유명하다

3. 예문

1) 明日(あした)のパーティーには山田(やまだ)さんも来(く)るんじゃない？

내일 파티에는 야마다 씨도 오지 않을까?

今年の４月から大阪に来ています。

2) あの人(ひと)はいつも５分(ふん)遅(おく)れるから、今日(きょう)も遅(おく)れるんじゃない？

그 사람은 항상 5분 늦으니까 오늘도 늦지 않을까?

3) 残(のこ)ったピザは、後(あと)でお父(とう)さんが食(た)べるんじゃない？

남은 피자는 나중에 아빠가 먹지 않을까?

4) もう少(すこ)し砂糖(さとう)を入(い)れたほうがおいしいんじゃない？

설탕을 조금 더 넣어야 맛있지 않을까?

5) どうしてコンビニで野菜(やさい)を買(か)うの？スーパーより高(たか)いじゃない。

왜 편의점에서 야채를 사? 마트보다 비싸잖아.

6) 次(つぎ)の電車(でんしゃ)に乗(の)ったほうが到着(とうちゃく)が早(はや)いんじゃない？

다음 기차를 타는 게 도착이 빠르지 않을까?

---

7) 本当(ほんとう)にこの俳優(はいゆう)の名前(なまえ)を知(し)らないの？日本(にほん)でもアメリカでも有名(ゆうめい)じゃない。

정말 이 배우 이름을 몰라? 일본에서도 미국에서도 유명하잖아.

---

8) 図書館(としょかん)は２階(かい)のほうが静(しず)かじゃない？

도서관은 2층이 더 조용하지 않아?

---

9) 日曜日(にちようび)なら、みんな暇(ひま)なんじゃない？

일요일이면 다들 한가하지 않아?

---

10) あの人(ひと)、有名(ゆうめい)なユーツーバーじゃない？

저 사람 유명한 유투버 아니야?

---

4. 회화

A：Cさん、遅(おそ)いね。

B：そうだね。Cさんは、いつも遅(おく)れるね。

A：今日(きょう)も遅(おく)れるんじゃない？あ、誰(だれ)か走(はし)っている。あれはCさんじゃない？

B：あ、Cさんだ。

A：Cさん、遅(おそ)いじゃない。

A: C 씨 늦네.

B: 그렇네. C 씨는 항상 지각하네.

A: 오늘도 지각하는 거 아니야? 아, 누군가 뛰고 있어. 저거 C 씨 아니야?

B: 아, C 씨다.

A: C 씨, 늦었잖아.

5. 플러스 알파

부정문의 じゃない

私(わたし)はアメリカ人じゃない。

나는 미국인이 아니다

※ じゃない는 문맥에 따라서 구분해야 하는 경우도 있습니다.

6. 확인하기

① 설탕을 조금 더 넣어야 맛있지 않을까?

② 정말 이 배우 이름을 몰라? 일본에서도 미국에서도 유명하잖아.

확인하기 정답

① 설탕을 조금 더 넣어야 맛있지 않을까?

もう少(すこ)し砂糖(さとう)を入(い)れたほうがおいしいんじゃない？

② 정말 이 배우 이름을 몰라? 일본에서도 미국에서도 유명하잖아.

本当(ほんとう)にこの俳優(はいゆう)の名前(なまえ)を知(し)らないの？日本(にほん)でもアメリカでも有名(ゆうめい)じゃない。

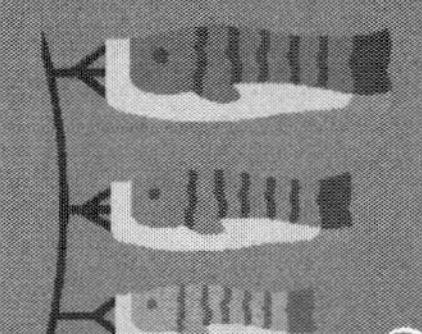

24 강

~しかない/ほかない ~되어 있다

학습목표

しかない / ほかない를 사용해서 다른 수가 없어서 포기하는 마음을 나타내는 표현을 학습합니다.

1. 접속 방법

동사 + しかない / ほかない

2. 단어

辞(や)めます 그만둡니다　　謝(あやま)ります 사죄합니다

乗(の)ります 탑니다, 승차합니다　　食(た)べます 먹습니다

作(つく)ります 만듭니다　　待(ま)ちます 기다립니다

買(か)います 삽니다　　諦(あきら)めます 포기합니다

捨(す)てます 버립니다　　帰(かえ)ります 돌아옵니다, 돌아갑니다

3. 예문

1) 時給(じきゅう)も良(よ)くないし、店長(てんちょう)も好(す)きじゃないし、もう

アルバイトを辞(や)めるしかない。

시급도 좋지 않고, 점장도 별로고, 이제 아르바이트를 그만둘 수밖에 없다.

時給も良くないし、店長も好きじゃないし、

もうアルバイトを辞めるしかない。

---

2) 寝坊(ねぼう)して授業(じゅぎょう)に遅(おく)れたことを、先生(せんせい)に謝(あやま)るしかない。

늦잠을 자서 수업에 늦은 것을 선생님께 사과할 수밖에 없다.

---

3) もう夜(よる)の2時(じ)だから、電車(でんしゃ)もバスもありません。タクシーに

乗(の)るしかない。

벌써 새벽 2시니까 전철도 버스도 없어요. 택시를 탈 수 밖에 없어요.

---

4) うちに野菜(やさい)も肉(にく)もありません。パンを食(た)べるしかない。

우리 집에 채소도 고기도 없어요. 빵을 먹을 수밖에 없어요.

---

5) 今日は家に誰もいません。自分でご飯を作るしかありません。

오늘은 집에 아무도 없어요. 스스로 밥을 만드는 수밖에 없어요.

6) 田中さんがコンサートのチケットを持ってるから、私達は待つほかない。

나카 씨가 콘서트 티켓을 가지고 있으니까, 우리는 기다릴 수밖에 없다.

7) 冷蔵庫が壊れたが、修理の費用はとても高い。新しいのを買うほかない。

냉장고가 고장났는데 수리 비용은 너무 비싸. 새 걸 살 수밖에 없어.

8) 家(いえ)の鍵(かぎ)をなくして1週間(しゅうかん)探(さが)したが、見(み)つからない。もう諦(あきら)めるほかないだろう。

집 열쇠를 잃어버려서 일주일 동안 찾았는데 못 찾겠어. 이제 포기해야겠지.

---

9) このテレビは古(ふる)いし、たまに映(うつ)らないし、捨(す)てるほかありませんね。

이 TV 는 오래되기도 했고, 가끔 나오지도 않고, 버리는 수밖에 없네요.

---

10) 1時間(じかん)待(ま)ったが彼女(かのじょ)は来(こ)ない。もう帰(かえ)るほかない。

한 시간을 기다렸지만 그녀는 오지 않는다. 이제 돌아갈 수밖에 없다.

4. 회화

A：お腹(なか)が空(す)いた。

B： 私(わたし) も。

A：でも、冷蔵庫(れいぞうこ)の中(なか)に何(なに)もないね。どうする？

B：出前(でまえ)をとるしかないね。

A：そうしよう。僕(ぼく)はカツ丼(どん)にする。君(きみ)は？

B： 私(わたし) はざるそばにする

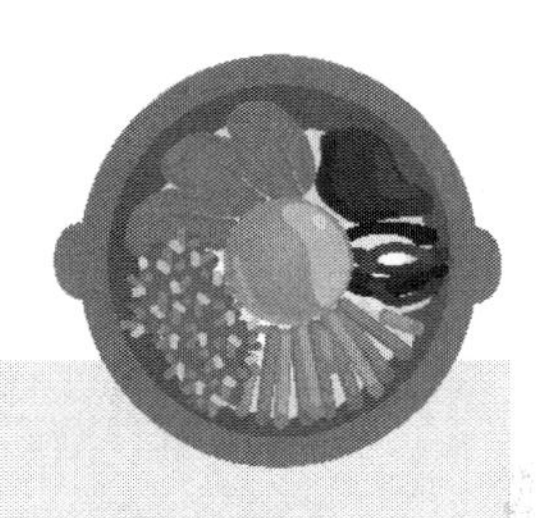

A: 배고프다.

B: 나도.

A: 하지만, 냉장고 안에 아무것도 없네. 어떻게 하지?

B: 배달시킬 수 밖에 없네.

A: 그러자. 나는 카츠돈으로 할래. 너는?

B: 나는 자루소바로 할래.

5. 플러스 알파

ざるをえない

彼のことは好きではないが、その実力は認めざるを得ない。

그를 좋아하지는 않지만, 그 실력은 인정할 수 밖에 없어.

※ ざるをえない는 しかない / ほかない에 비해서, 하고 싶지 않지만 어쩔 수 없이 한다는 뉘앙스를 갖고 있습니다.

6. 확인하기

① 벌써 새벽 2 시니까 전철도 버스도 없어요. 택시를 탈 수 밖에 없어요.

② 냉장고가 고장났는데 수리 비용은 너무 비싸. 새 걸 살 수밖에 없어.

확인하기 정답

① 벌써 새벽 2 시니까 전철도 버스도 없어요. 택시를 탈 수 밖에 없어요.

もう夜(よる)の2時(じ)だから、電車(でんしゃ)もバスもありません。タクシーに乗(の)るしかない。

② 냉장고가 고장났는데 수리 비용은 너무 비싸. 새 걸 살 수밖에 없어.

冷蔵庫(れいぞうこ)が壊(こわ)れたが、修理(しゅうり)の費用(ひよう)はとても高(たか)い。新(あたら)しいのを買(か)うほかない。

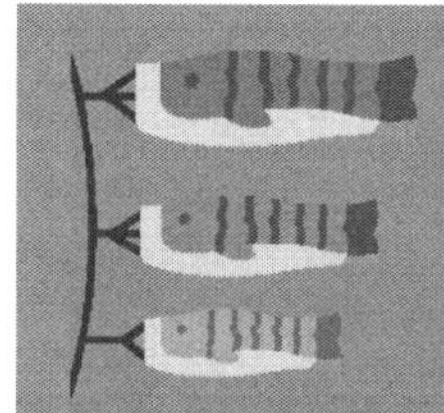

25 강

～さえ～ば ~만 ~하면

학습목표

さえ～ば를 사용해서 일정 조건이 갖추어지면 해당 사항은 당연히 성립한다는 표현을 학습합니다.

1. 접속 방법

동사ます형 + さえ～ば

동사て형 + さえ (보조동사)ば

이형용사 어간 く + さえ～ば

나형용사 어간 で + さえ～ば

명사 + さえ～ば

2. 단어

読(よ)みます 읽습니다　　聞(き)きます 듣습니다, 묻습니다

混(こ)みます 혼잡합니다　　乗(の)ります 탑니다, 승차합니다

時間(じかん) 시간　　お金(かね) 돈　　愛(あい) 사랑　　仕事(しごと) 일, 직업

問題(もんだい) 문제

3. 예문

1) 説明書を読みさえすれば、誰でも作れます。

설명서를 읽기만 하면 누구나 만들 수 있어요.

説明書を読みさえすれば、誰でも作れます。

2) 連絡先を聞きさえすれば、また彼女に会えたかもしれない。

연락처를 물어보기만 했다면 다시 그녀를 만날 수 있었을지도 모른다.

3) 道が混んでさえいなければ、会議に遅れませんでした。

길이 막히지만 않았다면 회의에 늦지 않았어요.

4) あのバスに乗りさえすれば、空港に行けますよ。

저 버스를 타기만 하면 공항에 갈 수 있어요.

5) この試験は名前を書きさえすれば受かるくらい簡単ですよ。

이 시험은 이름을 쓰기만 하면 붙을 정도로 간단해요.

6) 時間(じかん)さえあれば、家(いえ)で料理(りょうり)ができるのですが…。

시간만 있으면 집에서 요리를 할 수 있습니다만….

---

7) お金(かね)さえあれば何(なん)でもできる。

돈만 있으면 뭐든지 할 수 있어.

---

8) 山田(やまだ)さんは、愛(あい)さえあればいいと思(おも)いますか？

야마다 씨는 사랑만 있으면 된다고 생각합니까?

---

9) 仕事(しごと)さえなければ、彼女(かのじょ)の誕生日(たんじょうび)にデートできたのに。

일만 없었다면 그녀의 생일에 데이트할 수 있었을 텐데.

---

10) 最後(さいご)の問題(もんだい)さえ間違(まちが)わなければ、１００点(てん)でした。

마지막 문제만 틀리지 않았다면 100 점이었어요.

4. 회화

A：サンドイッチを作(つく)りたいけど、食材(しょくざい)ある？

B：トマト、レタス、チーズはあるよ。でも、パンがないわね。

A：パンさえあれば、サンドイッチを作(つく)ることができるのに。

B：私(わたし)がスーパーで買(か)ってくる。

A：うん、ありがとう。その間(あいだ)、材料(ざいりょう)の下準備(したじゅんび)しとくよ。

A: 샌드위치를 만들고 싶은데, 음식 재료 있어?

B: 토마토, 양상추, 치즈는 있어. 그런데 빵이 없네.

A: 빵만 있으면 샌드위치를 만들 수 있는데.

B: 내가 슈퍼마켓에서 사 올게.

A: 응, 고마워. 그 동안 재료 손질을 해 놓을게.

5. 헷갈리기 쉬운 부분

パンすらあれば、サンドイッチを作(つく)ることができます。×

パンさえあれば、サンドイッチを作(つく)ることができます。○

빵만 있으면 샌드위치를 만들 수 있어요.

※ さえ～ば는 하나의 문형으로 すら등 다른 조사로 바꾸어 사용하지 않습니다. すら는 さえ와 비슷한 의미이지만 좋지 않은 평가에 사용합니다.

6. 확인하기

① 연락처를 물어보기만 했다면 다시 그녀를 만날 수 있었을지도 모른다.

---

② 일만 없었다면 그녀의 생일에 데이트할 수 있었을 텐데.

확인하기 정답

① 연락처를 물어보기만 했다면 다시 그녀를 만날 수 있었을지도 모른다.

連絡先を聞きさえすれば、また彼女に会えたかもしれない。

② 일만 없었다면 그녀의 생일에 데이트할 수 있었을 텐데.

仕事さえなければ、彼女の誕生日にデートできたのに。

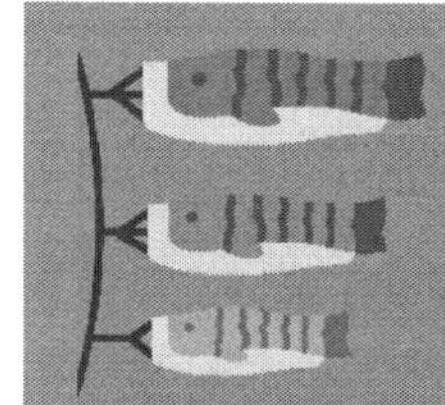

26 강

～さえ ~조차

학습목표

さえ를 사용해서 부정적인 의미의 조건을 나타내는 표현을 학습합니다.

1. 접속 방법

동사ます형 + さえ

명사 + さえ

명사 + 조사 + さえ

2. 단어

聞(き)きます 듣습니다, 묻습니다　　謝(あやま)ります 사죄합니다

片付(かたづ)けます 정리합니다　　言(い)います 말합니다

払(はら)います 지불합니다　　時間(じかん) 시간　　水(みず) 물

家族(かぞく) 가족　　あいさつ 인사

3. 예문

1) 人見知りなので、名前を聞きさえしなかった。

낯을 가려서 이름조차 묻지 않았다.

人見知りなので、名前を聞きさえしなかった。

2) 悪いのは彼なのに、謝りさえしなかった。

나쁜 것은 그인데 사과조차 하지 않았다.

3) 自分の食器を片付けさえしないなんて…。

자기 그릇을 치우지도 않다니….

4) あの人は名前を言いさえせずに帰ってしまった。

그 사람은 이름조차 말하지 않고 돌아가 버렸다.

5) 妹は飲み物代を払いさえしなかった。

여동생은 음료수 값을 지불조차 하지 않았다.

6) 今日は忙しくて、昼ごはんを食べる時間さえなかったんです。

오늘은 바빠서 점심 먹을 시간조차 없었어요.

---

7) 先週は水さえ飲めないくらい喉が痛かった。

지난주에는 물조차 마실 수 없을 정도로 목이 아팠다.

---

8) あいさつさえせずに入るなんて失礼だ。

인사조차 하지 않고 들어가다니 실례다.

---

9) 私でさえひらがなを覚えられました。

저조차도 히라가나를 외울 수 있었습니다.

---

10) 仕事をやめたことは、まだ家族にさえ言っていない。

일을 그만둔 것은 아직 가족에게조차 말하지 않았다.

---

4. 회화

A：週末(しゅうまつ)のパーティーどうでしたか？

B：あ、パーティーですごくタイプの人に会(あ)ったけど…

A：え、それで？連絡先交換(れんらくさきこうかん)しました？

B：緊張(きんちょう)して、名前(なまえ)を聞(き)きさえしませんでした。

A：ありえない！

A: 주말에 있었던 파티는 어땠어요?

B: 아, 파티에서 굉장히 이상형을 만났는데…

A: 어, 그래서? 연락처 교환했어요?

B: 긴장해서 이름을 묻는 것조차도 못했어요.

A: 말도 안돼!

5. 플러스 알파

すら

1) 昨日は忙しかったので、お昼ご飯さえ食べられなかった。

2) 昨日は忙しかったので、お昼ご飯すら食べられなかった。

어제는 바빴기 때문에 점심밥조차 먹지 못했어.

※ すら는 さえ보다 격식 있고 딱딱한 표현으로 문어체로도 사용합니다.

6. 확인하기

① 자기 그릇을 치우지도 않다니….

② 일을 그만둔 것은 아직 가족에게조차 말하지 않았다.

확인하기 정답

① 자기 그릇을 치우지도 않다니….

自分(じぶん)の食器(しょっき)を片付(かたづ)けさえしないなんて…。

② 일을 그만둔 것은 아직 가족에게조차 말하지 않았다.

仕事(しごと)をやめたことは、まだ家族(かぞく)にさえ言(い)っていない。

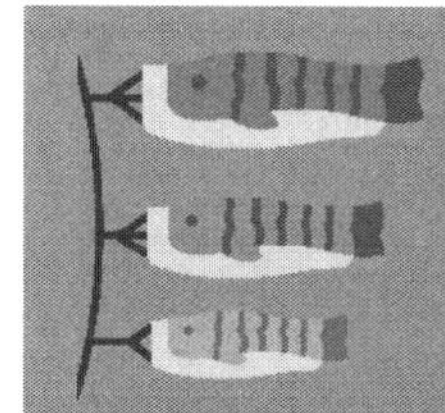

27강

際に/際の ~때

학습목표

際に/際の를 사용해서 특정 시기에 대한 표현을 학습합니다.

1. 접속 방법

동사 + 際に/際の

동사た형 + 際に/際の

명사 の + 際に/際の

2. 단어

行(い)きます 갑니다　　働(はたら)きます 일합니다

降(お)ります 내립니다, 하차합니다　　来(き)ます 옵니다

訪問(ほうもん)します 방문합니다　　留学(りゅうがく) 유학　　帰宅(きたく) 귀가

提出(ていしゅつ) 제출　　申(もう)し込(こ)み 신청　　外出(がいしゅつ) 외출

3. 예문

1) 結婚式に行く際には、服装に気をつけましょう。

결혼식에 갈 때는 복장에 신경을 씁시다.

結婚式に行く際には、服装に気をつけましょう。

2) 日本で働く際には、敬語で話さなければいけません。

일본에서 일할 때는 경어로 말해야 해요.

3) 電車を降りる際には、忘れ物に気をつけてください。

전철에서 내릴 때는 분실물을 조심하세요.

4) アメリカに来られる際には連絡してくださいね。

미국에 오실 때는 연락주세요.

5) 取引先を訪問する際の注意事項は何ですか。

거래처를 방문할 때 주의사항은 무엇인가요?

6) 留学(りゅうがく)の際(さい)にパスポートを更新(こうしん)しました。

유학할 때 여권을 갱신했어요.

---

7) 帰宅(きたく)の際(さい)にタクシーを呼(よ)びましょうか。

귀가할 때 택시를 부를까요?

---

8) レポートの提出(ていしゅつ)の際(さい)に名前(なまえ)を確認(かくにん)してください。

보고서 제출 시 이름을 확인하십시오.

---

9) 申(もう)し込(こ)みの際(さい)の費用(ひよう)はいくらですか。

신청할 때 비용은 얼마인가요?

---

10) 外出(がいしゅつ)の際(さい)にはマスクをしてください。

외출 시에는 마스크를 착용해주세요.

4. 회화

A：いらっしゃいませ。予約のお名前をお願いします。

B： Bです。

A：Bさま、一泊の朝食付きで予約なさいましたね。

B：はい、そうです。

A：こちら朝食のチケットになります。朝食の際に、こちらのチケットをお持ちください。

B：はい、わかりました。

A: 어서오세요. 예약하신 성함을 부탁드립니다.

B: B 입니다.

A: B 님, 1 박에 조식포함으로 예약하셨네요.

B: 네, 그렇습니다.

A: 여기 조식권입니다. 조식 드실 때, 이 티켓을 지참해 주시기 바랍니다.

B: 네, 알겠습니다.

5. 플러스 알파

ときに vs 際に

1) 朝食(ちょうしょく)のときに、このチケット持(も)ってきて。

조식 먹을 때, 이 티켓 가져와.

2) 朝食(ちょうしょく)の際(さい)に、こちらのチケットをお持(も)ちください。

조식 드실 때, 이 티켓을 지참해 주시기 바랍니다.

※ ときには 際に보다 가벼운 표현으로 편한 사이에 사용합니다.

6. 확인하기

① 거래처를 방문할 때 주의사항은 무엇인가요?

---

② 보고서 제출 시 이름을 확인하십시오.

확인하기 정답

① 거래처를 방문할 때 주의사항은 무엇인가요?

取引先を訪問する際の注意事項は何ですか。

---

② 보고서 제출 시 이름을 확인하십시오.

レポートの提出の際に名前を確認してください。

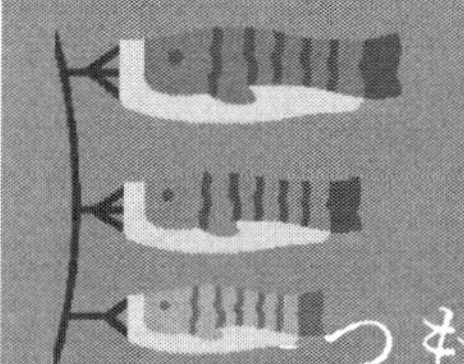

28 강

つもりだ ~라고 생각하다 (착각, 오해)

학습목표

つもりだ를 사용해서 실제는 생각한 것과 다르다는 표현을 학습합니다.

1. 접속 방법

동사 + つもりだ

이형용사 + つもりだ

나형용사 な + つもりだ

명사 の + つもりだ

2. 단어

覚(おぼ)えます 외웁니다　　書(か)きます 씁니다, 적습니다

返事(へんじ)をします 답장을 합니다, 대답을 합니다

若(わか)い 어리다, 젊다　　親友(しんゆう) 절친한 친구

3. 예문

1) 昨日全部覚えたつもりだったのに、テストの時 全く思い出せなかった。

어제 다 외운 줄 알았는데 시험 때 전혀 기억이 안 났어.

昨日全部覚えたつもりだったのに、テストの時全く思い出せなかった。

2) 電気を消したつもりだったのに、ついていた。

불을 끈 줄 알았는데 켜져 있었어.

3) 丁寧に書いたつもりだったが、「読めない」と言われた。

정성껏 썼다고 생각했지만, '못 읽겠다'는 말을 들었다.

4) 鍵をかけたつもりだったが、かかっていなかったのでびっくりした。

열쇠를 잠갔다고 생각했는데 안 잠겨 있어서 깜짝 놀랐어.

5) きちんと言(い)ったつもりだったが、「聞(き)いていない」と言(い)われた。

제대로 말했다고 생각했는데, '못 들었다'는 말을 들었다.

6) 眼鏡(めがね)はここに置(お)いたつもりだったのに、ない。

안경은 여기다 둔 줄 알았는데, 없어.

7) 友達(ともだち)に返事(へんじ)をしたつもりだったが、送信(そうしん)されていなかったようだ。

친구에게 답장을 했다고 생각했는데, 전송이 안 된 것 같다.

8) まだ若(わか)いつもりだったが、歩(ある)くとすぐ腰(こし)が痛(いた)くなってしまう。

아직 젊다고 생각했지만, 걸으면 금방 허리가 아파온다.

9) 佐藤(さとう)さんともう親友(しんゆう)のつもりだったが、彼女(かのじょ)はそう思(おも)っていないようだ。

사토 씨와 이미 절친한 친구 사이라고 생각했지만, 그녀는 그렇게 생각하지 않는 것 같다.

---

10) 部屋(へや)を片付(かたづ)けたつもりだったが、母(はは)に「全然片付(ぜんぜんかたづ)いていない」と言(い)われてしまった。

방을 정리했다고 생각했지만, 어머니에게 '전혀 정리되지 않았다'라는 말을 들었다.

4. 회화

A：週末(しゅうまつ)何(なに)をした？

B：今日漢字(きょうかんじ)テストだったから、家(いえ)で勉強(べんきょう)したの。

A：テストはどうだった？

B：全部覚(ぜんぶおぼ)えたつもりだったのに、全然思(ぜんぜんおも)い出(だ)せなかった。

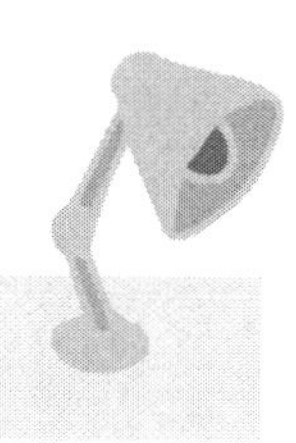

A: 주말에 뭐했어?

B: 오늘 한자 시험라서 집에서 공부했거든.

A: 시험은 어땠어?

B: 전부 외웠다고 생각했는데, 전혀 생각나지 않았어.

5. 플러스 알파

동사 + つもり

ぜんぶおぼ
1) 全部覚えたつもりだ。

전부 외웠다고 생각한다.

ぜんぶおぼ
2) 全部覚えるつもりだ。

전부 외울 생각이다.

※ 동사 + つもり는 동사의 시제에 따라서 용법이 달라집니다.

6. 확인하기

① 아직 젊다고 생각했지만, 걸으면 금방 허리가 아파온다.

---

② 사토 씨와 이미 절친한 친구 사이라고 생각했지만, 그녀는 그렇게 생각하지 않는 것 같다.

확인하기 정답

① 아직 젊다고 생각했지만, 걸으면 금방 허리가 아파온다.

まだ若(わか)いつもりだったが、歩(ある)くとすぐ腰(こし)が痛(いた)くなってしまう。

② 사토 씨와 이미 절친한 친구 사이라고 생각했지만, 그녀는 그렇게 생각하지 않는 것 같다.

佐藤(さとう)さんともう親友(しんゆう)のつもりだったが、彼女(かのじょ)はそう思(おも)っていないようだ。

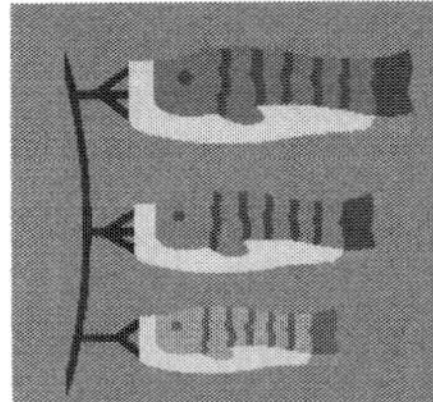

29 강

～ついでに ~하는 김에

학습목표

ついでに를 사용해서 기회가 있을 때 함께 해치우는 것에 대한 표현을 학습합니다.

1. 접속 방법

동사 + ついでに

동사た형 + ついでに

명사 の + ついでに

2. 단어

行(い)きます 갑니다　　出張(しゅっちょう)します 출장 갑니다

買(か)いに行(い)きます 사러 갑니다　　洗(あら)います 씻습니다

掃除(そうじ)します 청소합니다

3. 예문

おおさか　しゅっちょう　きょうと　い
1) 大阪へ 出 張 するついでに京都にも行きます。

오사카에 출장가는 김에 교토에도 갑니다.

大阪へ出張するついでに京都にも行きます。

くすり　か　か
2) 薬 を買うついでにトイレットペーパーも買います。

약 사는 김에 두루마리 휴지도 살게요.

しょくじ　い　ゆうびんきょく　い
3) 食事に行くついでに 郵 便 局 に行きます。

식사하러 가는 김에 우체국에 갑니다.

きょうと　しゅっちょう　きんかくじ　み　い
4) 京都へ 出 張 するついでに金閣寺を見に行きます。

교토로 출장 가는 김에 금각사를 보러 갑니다.

にほんご　ほん　か　ざっし　か
5) 日本語の本を買ったついでに雑誌も買いました。

일본어 책을 산 김에 잡지도 샀습니다.

6) お風呂(ふろ)を洗(あら)ったついでに洗面所(せんめんじょ)も洗(あら)っておきました。

욕조를 씻은 김에 세면대도 씻어놨어요.

---

7) 図書館(としょかん)へ本(ほん)を返(かえ)しに行(い)ったついでに友達(ともだち)に会(あ)いました。

도서관에 책을 돌려주러 간 김에 친구를 만났어요.

---

8) 散歩(さんぽ)のついでにコンビニでタバコも買(か)ってきました。

산책하는 김에 편의점에서 담배도 사왔어요.

---

9) 外回(そとまわ)りのついでに郵便(ゆうびん)を出(だ)してきました。

외근 간 김에 우편물을 부치고 왔습니다.

---

10) 買(か)い物(もの)のついでに銀行(ぎんこう)に行(い)きます。

쇼핑 간 김에 은행에 갑니다.

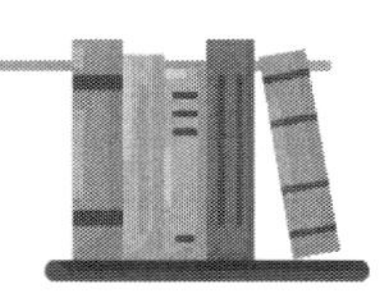

4. 회화

A：出(で)かけるの？

B：うん、ちょっと散歩(さんぽ)に行(い)ってくる。

A：散歩(さんぽ)のついでにビール買(か)ってきて。

B：暑(あつ)いからビール飲(の)みたくなるよね。いつものでいい？

A：うん、お願(ねが)い。

A: 외출해?

B: 응, 산책하러 좀 다녀올게.

A: 산책가는 김에 맥주 사다줘.

B: 더우니까 맥주가 마시고 싶어지지. 항상 마시던 거면 될까?

A: 응, 부탁해.

5. 플러스 알파

のかたわら

仕事(しごと)のかたわらグルメブログを書(か)いている。

일을 겸해서 맛집 블로그를 쓰고 있어.

※ のかたわら는 ついでに에 비해서 업무적인 경우에 사용하는 경우가 많습니다.

6. 확인하기

① 도서관에 책을 돌려주러 간 김에 친구를 만났어요.

② 외근 간 김에 우편물을 부치고 왔습니다.

확인하기 정답

① 도서관에 책을 돌려주러 간 김에 친구를 만났어요.

<ruby>図書館<rt>としょかん</rt></ruby>へ<ruby>本<rt>ほん</rt></ruby>を<ruby>返<rt>かえ</rt></ruby>しに<ruby>行<rt>い</rt></ruby>ったついでに<ruby>友達<rt>ともだち</rt></ruby>に<ruby>会<rt>あ</rt></ruby>いました。

② 외근 간 김에 우편물을 부치고 왔습니다.

<ruby>外回<rt>そとまわ</rt></ruby>りのついでに<ruby>郵便<rt>ゆうびん</rt></ruby>を<ruby>出<rt>だ</rt></ruby>してきました。

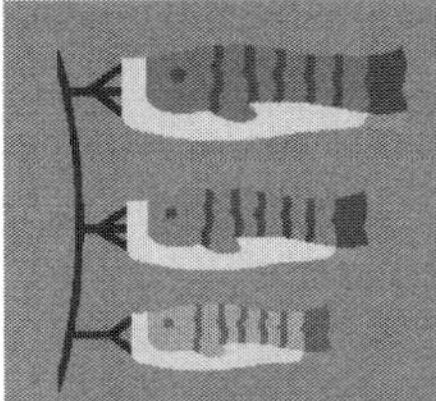

30 강

最中に 한창 ~중에

학습목표

最中に를 사용해서 동작이 진행되고 있는 중이라는 표현을 학습합니다.

1. 접속 방법

동사ている + 最中に

명사の + 最中に

2. 단어

行(い)きます 갑니다　見(み)ます 봅니다　食(た)べます 먹습니다

書(か)きます 씁니다, 적습니다　勉強(べんきょう)します 공부합니다

試験(しけん) 시험　食事(しょくじ) 식사　デート 데이트

会議(かいぎ) 회의　アルバイ 아르바이트

3. 예문

1) 学校へ行っている最中に、先生に会いました。

학교에 가는 도중에 선생님을 만났어요.

学校へ行っている最中に、先生に会いました。

2) 映画を見ている最中に地震が起きた。

영화를 보고 있는 도중에 지진이 일어났다.

3) 日記を書いている最中に寝てしまった。

일기를 쓰는 도중에 잠들어 버렸다.

4) 朝ごはんを食べている最中に友達がうちに来ました。

아침을 먹고 있는 와중에 친구가 우리 집에 왔어요.

5) 勉強している最中に話しかけないでください。

한창 공부하는 중에 말을 걸지 마세요.

6) 試験(しけん)の最中(さいちゅう)にトイレに行(い)きたくなった。

시험이 한창일 때 화장실에 가고 싶어졌다.

---

7) 食事(しょくじ)の最中(さいちゅう)にゲームをしてはいけません。

식사 도중에 게임을 하면 안 돼요다.

---

8) デートの最中(さいちゅう)に元(もと)カノから電話(でんわ)がかかってきました。

데이트 도중에 전 여자친구에게서 전화가 왔어요.

---

9) 会議(かいぎ)の最中(さいちゅう)に寝(ね)てしまってすみません。

회의 도중에 잠들어서 죄송합니다.

---

10) アルバイトの最中(さいちゅう)にスマホを触(さわ)ってはいけません。

아르바이트 중에 스마트폰을 사용하면 안 돼요.

4. 회화

A：昨日(きのう)初(はつ)デートだったでしょう。どうだった？

B：それがもう台無(だいな)しになったよ。

A：何(なん)で？

B：彼女(かのじょ)が映画(えいが)見(み)たいって言(い)うから、映画(えいが)に行(い)ったのね。

A：それで？

B：映画(えいが)を見(み)ている最中(さいちゅう)に、寝(ね)てしまったの。

A：マジで？

A: 어제 첫데이트였지. 어땠어?

B: 아주 엉망이었어.

A: 왜?

B: 그녀가 영화 보고 싶다고해서, 영화를 보러갔거든.

A: 그런데?

B: 영화를 보는 도중에 잠들어 버린거야.

A: 진짜?

5. 헷갈리기 쉬운 부분

日本(にほん)に住(す)んでいる最中(さいちゅう)に～ ×

映画(えいが)が始(はじ)まっている最中(さいちゅう)に～×

※ 동사 + 最中には 상태동사나 순간에 대해서는 사용할 수 없습니다.

6. 확인하기

① 한창 공부하는 중에 말을 걸지 마세요.

② 아르바이트 중에 스마트폰을 사용하면 안 돼요.

확인하기 정답

① 한창 공부하는 중에 말을 걸지 마세요.

勉強(べんきょう)している最中(さいちゅう)に話(はな)しかけないでください。

② 아르바이트 중에 스마트폰을 사용하면 안 돼요.

アルバイトの最中(さいちゅう)にスマホを触(さわ)ってはいけません。

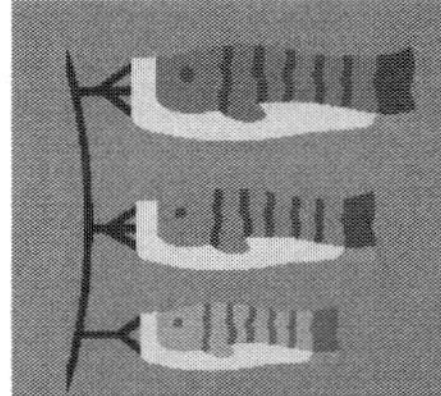

31강

～込む

내부로 ~하다, 장시간 (충분히) ~하다

학습목표

込む를 사용해서 내부로 이동하거나 장시간 해당 동작을 이어간다는 표현을 학습합니다.

1. 접속 방법

동사ます형 + 込む

2. 단어

飲(の)みます 마십니다　　飛(と)びます 납니다, 비행합니다

書(か)きます 적습니다, 씁니다　　詰(つ)めます 채웁니다

差(さ)します 찌릅니다, 넣습니다　　考(かんが)えます 생각합니다

走(はし)ります 달립니다　　話(はな)します 이야기합니다

煮(に)ます 조립니다　　教(おし)えます 가르칩니다

3. 예문

1) 間違(まちが)えて、ガムを飲(の)み込(こ)みました。

실수로 껌을 삼켰어요.

間違えて、ガムを飲み込みました。

2) プールに飛(と)び込(こ)まないでください。

수영장에 뛰어들지 마세요.

3) ここに答(こた)えを書(か)き込(こ)んでください。

여기에 답을 기입해 주세요.

4) かばんに荷物(にもつ)を詰(つ)め込(こ)んで家(いえ)を出(で)ました。

가방에 짐을 쑤셔넣고 집을 나왔어요.

5) ここにカードを差(さ)し込(こ)んでください。

여기에 카드 삽입해 주세요.

6) 山田(やまだ)さんはずっと考(かんが)え込(こ)んでいます。

야마다 씨는 계속 생각에 잠겨 있습니다.

---

7) もうすぐマラソン大会(たいかい)ですから、今日(きょう)は２時間(じかん)走(はし)り込(こ)みました。

이제 곧 마라톤 대회이기 때문에 오늘은 2 시간 동안 달리기를 했습니다.

---

8) 先生(せんせい)と母(はは)はもう１時間(じかん)も話(はな)し込(こ)んでいる。

선생님과 어머니는 벌써 1 시간째 이야기를 나누고 있다.

---

9) 今(いま)スープを煮込(にこ)んでいますから、待(ま)ってください。

지금 국물을 푹 끓이고 있으니 기다려주세요.

---

10) 先生(せんせい)はJLPTの文法(ぶんぽう)を教(おし)え込(こ)みました。

선생님은 JLPT 문법을 철저하게 가르쳤습니다.

---

4. 회화

A：まだいたの？

B：うん、山田さんを待ってる。

A：山田さんはまだ授業中なの？

B：ううん、山田さんは先生ともう1時間も話し込んでいる。

A：1時間も？何話してんだろう。

A: 아직 있었어?

B: 응, 야마다 씨를 기다리고 있어.

A: 야마다 씨는 아직 수업중인거야?

B: 아니, 야마다 씨는 선생님과 벌써 1 시간이나 대화를 나누고 있어.

A: 1 시간이나? 무슨 얘기하는 걸까.

5. 플러스 알파

1) 食(た)べます（×食べ込む） → 飲(の)み込(こ)む

2) 言(い)います（×言い込む） → 話(はな)し込(こ)む

3) 歩(ある)きます（×歩き込む） → 走(はし)り込(こ)む

※ 위와 같이 込む와 접속할 수 없는 동사는 대체동사를 사용합니다.

6. 확인하기

① 수영장에 뛰어들지 마세요.

---

② 이제 곧 마라톤 대회이기 때문에 오늘은 2 시간 동안 달리기를 했습니다.

확인하기 정답

① 수영장에 뛰어들지 마세요.

プールに飛(と)び込(こ)まないでください。

② 이제 곧 마라톤 대회이기 때문에 오늘은 2 시간 동안 달리기를 했습니다.

もうすぐマラソン大会(たいかい)ですから、今日(きょう)は2時間(じかん)走(はし)り込(こ)みました。

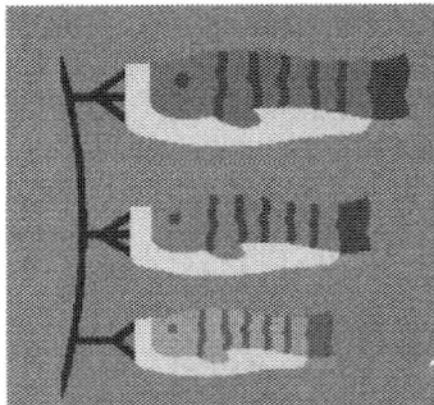

32 강

～ことはない -할 필요는 없다

학습목표

ことはない를 사용해서 동작의 불필요에 대한 표현을 학습합니다.

1. 접속 방법

동사 + ことはない

2. 단어

行(い)きます 갑니다　　見(み)ます 봅니다

買(か)います 삽니다, 구입합니다　　食(た)べます 먹습니다

急(いそ)ぎます 서두릅니다　　起(お)きます 일어납니다

来(き)ます 옵니다　　悩(なや)みます 고민합니다

気(き)にする 신경 쓰다　　心配(しんぱい)する 걱정하다

わざわざ 일부러　　そんなに 그렇게

3. 예문

1) 天気が悪いから、今日買い物に行くことはないよ。明日行こう。

날씨가 안 좋아서 오늘 쇼핑하러 갈 필요는 없어. 내일 가자.

天気が悪いから、今日買い物に行くことはないよ。明日行こう。

---

2) 新しいドラマはおもしろくありませんから、毎週見ることはないですよ。

새로운 드라마는 재미가 없기 때문에, 매주 볼 필요는 없어요.

---

3) 雨はすぐに止むと思います。傘を買うことはないですよ。

비는 곧 그칠 거예요. 우산을 살 필요는 없어요.

---

4) あの店の寿司はおいしくありませんでしたから、わざわざ食べることはないですよ。

그 가게의 초밥은 맛이 없었기 때문에 굳이 먹을 필요는 없어요.

---

5) 映画(えいが)が始(はじ)まるまであと 30分(ぷん)あるから、そんなに急(いそ)ぐことはないよ。

영화 시작까지 앞으로 30 분 남았으니까, 그렇게 서두를 필요는 없어.

6) 明日(あした)は休(やす)みだから、早(はや)く起(お)きることはない。

내일은 휴일이니까 일찍 일어날 필요는 없어.

7) あとで電話(でんわ)しますから、わざわざ来(く)ることはありませんよ。

나중에 전화할 테니까 일부러 올 필요는 없어요.

8) もう彼女(かのじょ)に 謝(あやま)ったんだから、そんなに気(き)にすることはないよ。

이미 그녀에게 사과했으니 그렇게 신경 쓸 필요는 없어.

9) 少(すこ)し疲(つか)れただけです。心配(しんぱい)することはありません。

조금 피곤했을 뿐이에요. 걱정할 것 없어요.

---

10) 彼氏(かれし)へのプレゼントにそんなに悩(なや)むことはないよ。

남자친구 선물에 그렇게 고민할 필요는 없어.

4. 회화

A：外に雨が降り始めましたよ。今日、傘持ってないのに…

B：どうしますか。傘を買いますか。

A：うん…天気予報を確認してみます。あ、もうすぐ晴れるそうです。傘を買うことはないですね。

B：よかった。

A: 밖에 비가 내리기 시작했어요. 오늘 우산 없는데…

B: 어떻게 할 거예요? 우산을 살 건가요?

A: 음, 일기예를 확인해 볼게요. 아, 곧 개일거라고 해요. 우산을 살 필요는 없겠네요.

B: 다행이다.

5. 플러스 알파

なくてもいい

1) 家(いえ)に薬(くすり)がありますから、病院(びょういん)に行(い)かなくてもいいです。

집에 약이 있으니까 병원에 가지 않아도 돼요.

2) 家(いえ)に薬(くすり)がありますから、病院(びょういん)に行(い)くことはありません。

집에 약이 있으니까 병원에 갈 것 없습니다.

※ ことはない는 화자 자신의 일이나 처음부터 불필요를 알고 있던 사건에는 사용하지 않습니다. 또한 なくてもいい에 비해서 단호하고 직선적인 뉘앙스입니다.

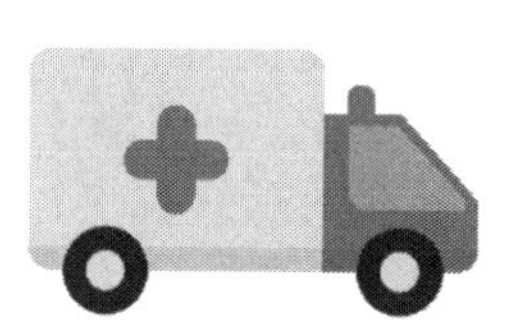

6. 확인하기

① 그 가게의 초밥은 맛이 없었기 때문에 굳이 먹을 필요는 없어요.

② 조금 피곤했을 뿐이에요. 걱정할 것 없어요.

확인하기 정답

① 그 가게의 초밥은 맛이 없었기 때문에 굳이 먹을 필요는 없어요.

あの店(みせ)の寿司(すし)はおいしくありませんでしたから、わざわざ食(た)べることはないですよ。

② 조금 피곤했을 뿐이에요. 걱정할 것 없어요.

少(すこ)し疲(つか)れただけです。心配(しんぱい)することはありません。

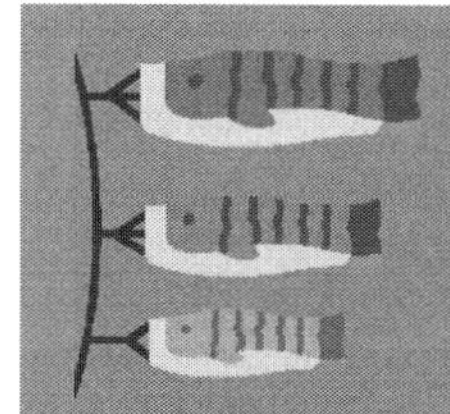

33 강

～からには ~한 이상은

학습목표

からには를 사용해서 현상이나 조건이 충족되면 무조건 일어나거나 또는 그래야 한다고 생각한다는 화자의 확신이나 각오의 표현을 학습합니다.

1. 접속 방법

동사 +からには

이형용사 +からには

나형용사 어간 である +からには

명사 である +からには

2. 단어

言(い)います 말합니다　　行(い)きます 갑니다

受(う)けます (시험)칩니다, 받습니다　　します 합니다

約束(やくそく)します 약속합니다　　やります 합니다

3. 예문

1) 中国へ行くからには、万里の長城が見たいです。

중국에 간다면 만리장성을 보고 싶어요.

中国へ行くからには、万里の長城が見たいです。

2) やると言ったからには、最後までやりなさい。

하겠다고 한 이상 끝까지 해라.

3) 試験を受けるからには、絶対に合格します。

시험을 보는 이상 무조건 합격할 것입니다.

4) 大掃除をするからには、全部きれいにしたいです。

대청소를 하는 이상 다 깨끗하게 하고 싶어요.

5) 約束したからには、絶対に守ります。

약속한 이상 무조건 지키겠습니다.

6) その仕事(しごと)をやるからには、成功(せいこう)させたいです。

그 일을 하는 이상 성공시키고 싶어요.

---

7) たくさん入(はい)っているのに、そんなに安(やす)いんですか？

安(やす)いからには、絶対何(ぜったいなに)か秘密(ひみつ)があります。

많이 들어있는데 그렇게 싸요? 싼 이상(것에는) 무조건 뭔가 비밀이 있어요.

---

8) あの店(みせ)、毎日(まいにち)たくさんの人(ひと)が並(なら)んでいるね。人気(にんき)であるからには、おいしいに違(ちが)いないよ。

저 가게, 매일 많은 사람들이 줄을 서 있네. 인기가 많으니 맛있을거야.

9) リーダーであるからには、みんなの意見を聞くべきです。

리더인 이상 모두의 의견을 들어야 합니다.

---

10) モデルであるからには、スタイルに気をつけなければならない。

모델인 이상 스타일에 신경을 써야 한다.

4. 회화

A：日本(にほん)に初(はじ)めて来(く)る友達(ともだち)と何(なに)を食(た)べたらいいと思(おも)いますか？

B：友達(ともだち)が日本(にほん)に来(き)ますか？いいですね。日本(にほん)に来(き)たからには、寿司(すし)でしょう。

A：他(ほか)には？

B：そうですね。日本(にほん)の食(た)べ物(もの)は天(てん)ぷらも有名(ゆうめい)ですね。後(あと)、焼(や)き肉(にく)ですかね。

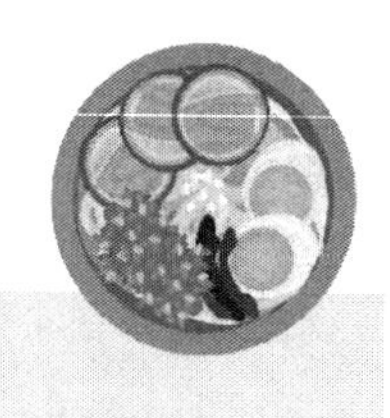

A: 일본에 처음 오는 친구와 뭘 먹으면 좋을까요?

B: 친구가 일본에 와요? 좋겠네요. 일본에 온 이상은 초밥이겠죠.

A: 다른거는요?

B: 그렇네요. 일본 음식은 템뿌라도 유명하죠. 그리고

고기구이정도일까요.

5. 플러스 알파

1) からには 이니까 당연히

2) 以上(いじょう)は 한 이상에는

3) 上(うえ)は 한 이상

※ からには는 주관적인 상황에서 사용하는 경우가 많으며,
以上は와 上は는 공적인 상황에 사용하는 경우가 많습니다.

6. 확인하기

① 많이 들어있는데 그렇게 싸요? 싼 이상(것에는) 무조건 뭔가 비밀이 있어요.

---

② 리더인 이상 모두의 의견을 들어야 합니다.

확인하기 정답

① 많이 들어있는데 그렇게 싸요? 싼 이상(것에는) 무조건 뭔가 비밀이 있어요.

たくさん入(はい)っているのに、そんなに安(やす)いんですか？

安(やす)いからには、絶対何(ぜったいなに)か秘密(ひみつ)があります。

② 리더인 이상 모두의 의견을 들어야 합니다.

リーダーであるからには、みんなの意見(いけん)を聞(き)くべきです。

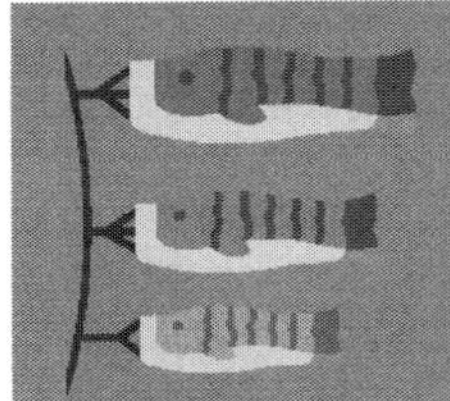

34 강

～かなあ ~이려나, ~일까

학습목표

かなぁ를 문장 마지막에 사용해서 화자의 희망이나 의문스럽게 생각하는 마음을 나타내는 표현을 학습합니다.

1. 접속 방법

동사 + かなぁ

이형용사 + かなぁ

나형용사 어간 + かなぁ

명사 + かなぁ

2. 단어

到着(とうちゃく)する 도착하다　　晴(は)れる 맑게 개다

合格(ごうかく)できる 합격할 수 있다　　食(た)べられる 먹을 수 있다

失敗(しっぱい)する 실패하다

3. 예문

1) 無事到着(ぶじとうちゃく)するかなぁ。

무사히 도착하려나?

無事到着するかなぁ。

---

2) 明日(あした)は晴(は)れるかなぁ。

내일은 맑으려나?

---

3) N3 に合格(ごうかく)できるかなぁ。

N3 에 합격할 수 있으려나?

---

4) これ、食(た)べられるかなぁ。

이거 먹을 수 있으려나?

---

5) こんなにたくさんの仕事(しごと)、1人(ひとり)でできるかなぁ。

이렇게 많은 일을 혼자서 할 수 있으려나?

---

6) はじめてだけど、失敗しないかなぁ。

처음인데 실패하지 않으려나?

7) こんなに高いところは怖いよ。落ちないかなぁ。

이렇게 높은 곳은 무서워. 떨어지지 않으려나?

8) あんなにたくさん荷物を持っているけど、重くないかなぁ。

그렇게 많은 짐을 가지고 있는데, 무겁지 않으려나?

9) 子供だけど、大丈夫かなぁ。

아이인데, 괜찮으려나?

10) 田中さんは病気かなぁ。

다나카 씨는 병이 난 걸까?

4. 회화

A：週末(しゅうまつ)は何(なに)するつもり？

B：私(わたし)、土曜日(どようび)に海(うみ)へ行(い)くけど晴(は)れるかなぁ。

A：天気予報(てんきよほう)では晴(は)れるそうよ。

B：晴(は)れだといいなぁ

A: 주말에는 뭐 할거야?

B: 나는 토요일에 바다에 갈건데 날씨가 맑으려나.

A: 일기예보에서는 맑게 갠다고 해.

B: 맑으면 좋겠다.

5. 플러스 알파

1) A さん、これを運(はこ)んでくれるかな？

＝A さん、これを運(はこ)んでくれますか？

A 씨, 이걸 옮겨주겠어요?

2) A さん、これを読(よ)んでくれるかな？

＝A さん、これを読(よ)んでくれますか？

A 씨, 이걸 읽어 주겠어요?

※ 동사 + てくれるかな는 상대에게 완곡하게 동작을 요청하거나 허락을 구할 때에도 사용할 수 있습니다. 다만 이 표현은 편한 사이에 사용하는 용법이니 격식을 차린 자리에서는 사용에 주의해야 합니다.

6. 확인하기

① 이렇게 높은 곳은 무서워. 떨어지지 않으려나?

② 다나카 씨는 병이 난 걸까?

확인하기 정답

① 이렇게 높은 곳은 무서워. 떨어지지 않으려나?

こんなに高(たか)いところは怖(こわ)いよ。落(お)ちないかなぁ。

② 다나카 씨는 병이 난 걸까?

田中(たなか)さんは病気(びょうき)かなぁ。

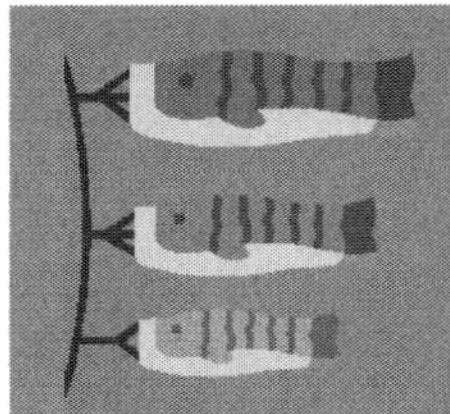

35 강

～かわりに ~대신에

학습목표

かわりに를 사용해서 대가나 교환 조건에 대한 표현을 학습합니다.

1. 접속 방법

동사 + かわりに

이형용사 + かわりに

나형용사 어간 な / である + かわりに

명사 の / である + かわりに

2. 단어

あげます 줍니다　教(おし)えます 가르칩니다

手伝(てつだ)います 도와 줍니다　運(はこ)びます 옮깁니다

安(やす)い 싸다, 저렴하다　高(たか)い 높다, 비싸다

自由(じゆう)だ 자유다, 자유롭다

3. 예문

1) 私(わたし)が英語(えいご)を教(おし)えるかわりに、日本語(にほんご)を教(おし)えてください。

제가 영어를 가르치는 대신 일본어를 가르쳐 주세요.

私が英語を教えるかわりに、日本語を教えてください。

---

2) 映画(えいが)のチケットをあげるかわりに、宿題(しゅくだい)をやってくれない？

영화표를 주는 대신 숙제를 해주지 않을래?

---

3) ノートを見(み)せるかわりに、ご飯(はん)をごちそうしてよ。

노트를 보여주는 대신 밥을 사줘.

---

4) 荷物(にもつ)を運(はこ)ぶかわりに、部屋(へや)を片付(かたづ)けてくれる？

짐을 옮기는 대신 방을 정리해 줄래?

---

5) この家(いえ)は家賃(やちん)が安(やす)いかわりに、駅(えき)から遠(とお)い。

이 집은 집세가 싼 대신 역에서 멀다.

---

6) このピザは大(おお)きいかわりに、具(ぐ)が少(すく)ないです。

이 피자는 큰 대신 토핑이 적습니다.

---

7) タクシーは楽(らく)なかわりに、値段(ねだん)が高(たか)いです。

택시는 편한 대신에 가격이 비쌉니다.

---

8) この会社(かいしゃ)は働(はたら)く時間(じかん)が自由(じゆう)なかわりに、仕事(しごと)の量(りょう)が多(おお)いです。

이 회사는 일하는 시간이 자유로운 대신 업무량이 많습니다.

---

9) 明日休(あしたやす)みであるかわりに、今日(きょう)は残業(ざんぎょう)しなければなりません。

내일 쉬는 대신에 오늘은 야근해야 해요.

10) あの有名(ゆうめい)なレストランでごちそうするよ。そのかわりに仕事(しごと)を手伝(てつだ)ってくれる？

그 유명한 레스토랑에서 한턱 낼게. 그 대신 일을 도와줄래?

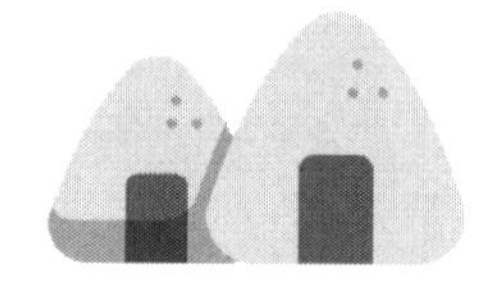

4. 회화

A：この間(あいだ)、英語(えいご)の勉強(べんきょう)してみたいと言(い)いましたね。

B：え、そうですよ。最近(さいきん)アメリカドラマにはまっていて。

A：私(わたし)はBさんに英語(えいご)を教(おし)えます。そのかわりに、日本語(にほんご)を

教(おし)えてくれませんか。

B：はい、いいですよ。

A: 이전에 영어 공부해 보고 싶다고 말했죠.

B: 네, 맞아요. 요즘 미국 드라마에 빠져 있어서.

A: 저는 B 씨에게 영어를 가르칠게요. 그 대신에 일본어를 가르쳐

주지 않을래요?

B: 네, 좋아요.

5. 플러스 알파

一方で

日本(にほん)での留学生活(りゅうがくせいかつ)は、楽(たの)しい一方(いっぽう)で、つらいことも多(おお)くある。

일본에서의 유학생활은 즐거운 한편, 힘든 점도 많이 있어.

※ 一方で는 대비되는 상황이나 상태에 대해서 언급할 때 사용할 수 있습니다.

6. 확인하기

① 이 피자는 큰 대신 토핑이 적습니다.

---

② 내일 쉬는 대신에 오늘은 야근해야 해요.

확인하기 정답

① 이 피자는 큰 대신 토핑이 적습니다.

このピザは大(おお)きいかわりに、具(ぐ)が少(すく)ないです。

---

② 내일 쉬는 대신에 오늘은 야근해야 해요.

明日(あした)休(やす)みであるかわりに、今日(きょう)は残業(ざんぎょう)しなければ

なりません。

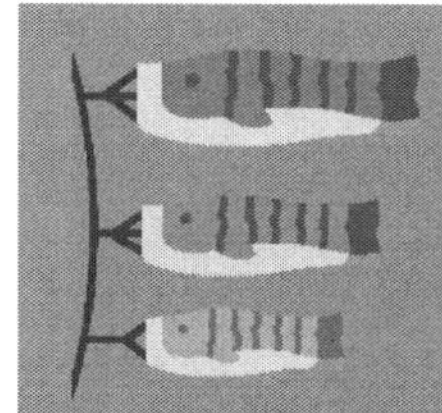

36 강

～くらい ~쯤, 정도

학습목표

くらい를 사용해서 중요하지 않거나 어렵지 않은, 정도의 가벼움에 대한 표현을 학습합니다.

1. 접속 방법

동사 + くらい

명사 + くらい

2. 단어

歩(ある)きます 걷습니다　　落(お)ちます 떨어집니다

転(ころ)びます 넘어집니다　　走(はし)ります 달립니다

間違(まちが)えます 틀립니다　　あいさつ 인사

そんなこと 그런 일, 그런 것　　掃除(そうじ) 청소

料理(りょうり) 요리　　連絡(れんらく) 연락

3. 예문

1) 一度試験に落ちたくらいで、落ち込まないで。

한 번 시험에 떨어진 정도로 우울해하지 마.

一度試験に落ちたくらいで、落ち込まないで。

2) ちょっと走ったくらいで、疲れたの？

조금 달린 정도로 피곤해?

3) 少し血が出たくらいで、騒がないでください。

피가 조금 난 정도로 소란 피우지 마세요.

4) 1つ間違えたくらいで、怒らなくてもいいのに。

하나 틀린 정도로 화를 내지 않아도 되는데.

5) ちょっと汚れたくらい、大丈夫だよ。使えるよ。

좀 더러워진 정도는 괜찮아. 쓸 수 있어.

6) そんなことくらい、子供(こども)でもわかりますよ。

그런 것 정도는 아이도 알 수 있어요.

---

7) 私(わたし)はあいさつくらいの簡単(かんたん)な英語(えいご)しか話(はな)せません。

저는 인사말 정도의 간단한 영어밖에 할 줄 모릅니다.

---

8) 暇(ひま)なら、掃除(そうじ)くらいしてよ。

한가하면 청소 정도는 해.

---

9) 30分(ぷん)も遅(おく)れるなら、連絡(れんらく)くらいして。

30 분이나 늦을거면 연락정도 해.

---

10) 私(わたし)は料理(りょうり)が苦手(にがて)なので、卵焼(たまごや)きくらいしかできません。

저는 요리를 잘 못하기 때문에 계란말이 정도 밖에 할 수 없습니다.

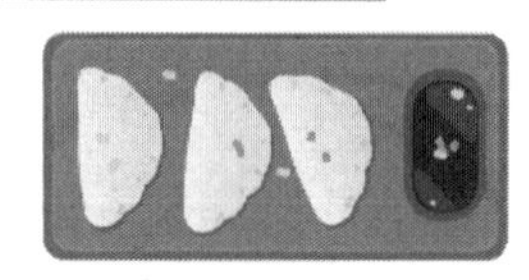

4. 회화

A：Bさんは毎日料理(まいにちりょうり)をしますか？

B：いいえ、あまりしません。Aさんは？

A：私(わたし)は料理(りょうり)が苦手(にがて)です。本当(ほんとう)にすこしだけ、できます。

B：何(なに)が作(つく)れますか？

A：卵焼(たまごや)きくらいしか、作(つく)れません。

A: B 씨는 매일 요리를 하나요?

B: 아니오, 별로 안 해요. A 씨는요?

A: 저는 요리를 못해요. 정말 조금만 할 수 있어요.

B: 뭘 만들 줄 알아요?

A: 계란말이 정도 밖에 할 줄 몰라요.

5. 확인하기

① 하나 틀린 정도로 화를 내지 않아도 되는데.

② 30 분이나 늦을거면 연락정도 해.

확인하기 정답

① 하나 틀린 정도로 화를 내지 않아도 되는데.

1つ間違(まちが)えたくらいで、怒(おこ)らなくてもいいのに。

② 30 분이나 늦을거면 연락정도 해.

30分(ぷん)も遅(おく)れるなら、連絡(れんらく)くらいして。

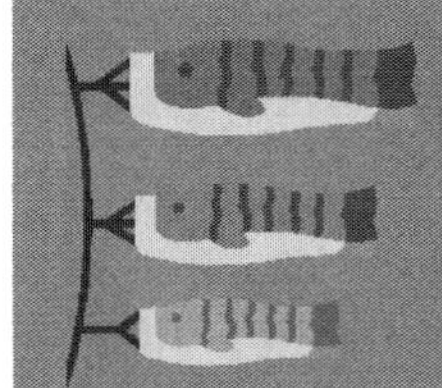

37 강

～こそ ~야말로

학습목표

こそ를 사용해서 강조하는 표현을 학습합니다.

1. 접속 방법

명사 + こそ

2. 단어

彼(かれ) 그, 그이　　彼女(かのじょ) 그녀　　明日(あした) 내일

今年(ことし) 올해　　次(つぎ) 다음　　今度(こんど) 다음번에, 저번에

3. 예문

1) この景色(けしき)こそ、私(わたし)がずっと見(み)たいと思(おも)っていた景色(けしき)です。

이 경치야말로 제가 계속 보고 싶다고 생각했던 경치입니다.

この景色こそ、私がずっと見たいと思っていた景色です。

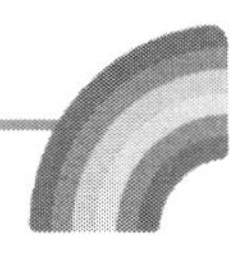

2) 彼(かれ)こそが 私(わたし)の尊敬(そんけい)する人(ひと)です。

그 사람이야말로 제가 존경하는 사람입니다.

---

3) 彼女(かのじょ)こそ、今一番人気(いまいちばんにんき)のある女優(じょゆう)だ。

그녀야말로 지금 가장 인기 있는 여배우다.

---

4) 次(つぎ)こそは、絶対(ぜったい)に N3 に合格(ごうかく)したいです。

다음에야말로 꼭 N3 에 합격하고 싶습니다.

---

5) 今度(こんど)こそ、勝(か)ちたいです。

이번에야말로 이기고 싶습니다.

---

6) 外国語(がいこくご)は話(はな)すことこそ、一番(いちばん)の練習(れんしゅう)だ。

외국어는 말하는 것이야말로 최고의 연습이다.

7) 練習を続けることこそが、上手になる方法です。

연습을 계속하는 것이야말로 능숙해지는 방법입니다.

---

8) 私にとって、カラオケこそが、ストレス解消になります。

저에게 있어서 노래방이야말로 스트레스 해소가 됩니다.

---

9) 明日こそ、ダイエットを始めます。

내일이야말로 다이어트를 시작할 거예요.

---

10) 今年こそ、英語が上手になりたい。

올해야말로 영어를 잘하고 싶다.

4. 회화

A：どんな食(た)べ物(もの)が好(す)きですか？

B：私(わたし)はケーキがとても好(す)きです。

A：私(わたし)もです。でも、ケーキは太(ふと)りますね。

B：いつもダイエットをしようと思(おも)っていますけど。

A：明日(あした)こそ、ダイエットを始(はじ)めましょう。

A: 어떤 음식을 좋아하나요?

B: 저는 케이크를 매우 좋아해요.

A: 저도예요. 하지만 케이크는 살이 찌죠.

B: 항상 다이어트를 하려고 생각하고 있긴해요.

A: 내일이야말로 다이어트를 시작합시다.

5. 플러스 알파

동사 こと+ こそ

韓国(かんこく)ドラマを見(み)て泣(な)くことこそ、ストレス解消(かいしょう)の1番(いちばん)の方法(ほうほう)です。

한국 드라마를 보고 우는 것이야 말로 스트레스 해소 제일의 방법이에요.

※ 동사에는 こと를 사용해서 동명사화 하면 こそ를 사용할 수 있습니다.

6. 확인하기

① 저에게 있어서 노래방이야말로 스트레스 해소가 됩니다.

② 외국어는 말하는 것이야말로 최고의 연습이다.

확인하기 정답

① 저에게 있어서 노래방이야말로 스트레스 해소가 됩니다.

私(わたし)にとって、カラオケこそが、ストレス解消(かいしょう)に

なります。

② 외국어는 말하는 것이야말로 최고의 연습이다.

外国語(がいこくご)は話(はな)すことこそ、一番(いちばん)の練習(れんしゅう)だ。

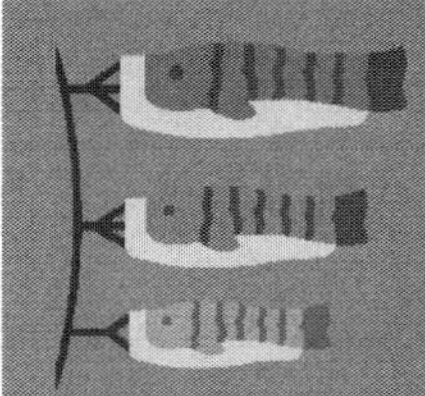

38 강

～こと ~할 것, ~하지말 것

학습목표

ことを 사용해서 해야 하는 일에 대해서 지침사항을 나타내는 표현을 학습합니다.

1. 접속 방법

동사 + こと

동사ない형 + こと

2. 단어

集合(しゅうごう)する 집합하다　　提出(ていしゅつ)する 제출하다

遅刻(ちこく)する 지각하다　　飲(の)みすぎる 과음하다

3. 예문

1) 1日(にち)2回(かい)はこの薬(くすり)を飲(の)むこと。

1일 2회는 이 약을 먹을 것.

1日2回はこの薬を飲むこと。

2) 朝(あさ)9時(じ)にはここに集合(しゅうごう)すること。

아침 9 시에는 여기로 집합할 것.

---

3) 手洗(てあら)いとうがいをすること。

손 씻기와 가글할 것.

---

4) このレポートは来週(らいしゅう)までに提出(ていしゅつ)すること。

이 리포트는 다음 주까지 제출할 것.

---

5) 野菜(やさい)も全部(ぜんぶ)食(た)べること。

채소도 다 먹을 것.

---

6) ここには入(はい)らないこと。

여기는 들어가지 말 것.

7) 明日は絶対遅刻しないこと。

내일은 절대 지각하지 말 것.

---

8) 廊下は走らないこと。

복도는 뛰지 말 것.

---

9) ここに物を置かないこと。

여기에 물건을 두지 말 것.

---

10) お酒を飲みすぎないこと。

술을 너무 많이 마시지 말 것.

4. 회화

A：みなさん、明日(あした)はテストをします。テストは9時(じ)からです。

B：はい。

A：テストの際(さい)の注意事項(ちゅういじこう)があります。明日(あした)は絶対(ぜったい)に遅刻(ちこく)しないこと。スマートフォンはかばんにしまうこと。

B：はい、分(わ)かりました。

A: 여러분, 내일은 테스트를 볼 거에요. 테스트는 9 시부터입니다.

B: 네.

A: 테스트 볼 때의 주의사항이 있습니다. 내일은 절대 지각하지 말 것. 스마트폰은 가방에 넣어 둘 것.

B: 네, 알겠습니다.

5. 확인하기

① 이 리포트는 다음 주까지 제출할 것.

② 술을 너무 많이 마시지 말 것.

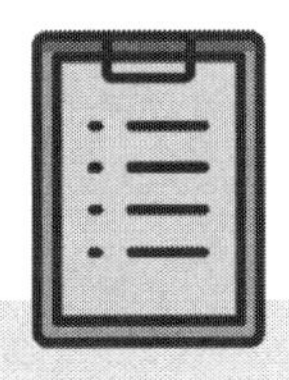

확인하기 정답

① 이 리포트는 다음 주까지 제출할 것.

このレポートは来週(らいしゅう)までに提出(ていしゅつ)すること。

② 술을 너무 많이 마시지 말 것.

お酒(さけ)を飲(の)みすぎないこと。

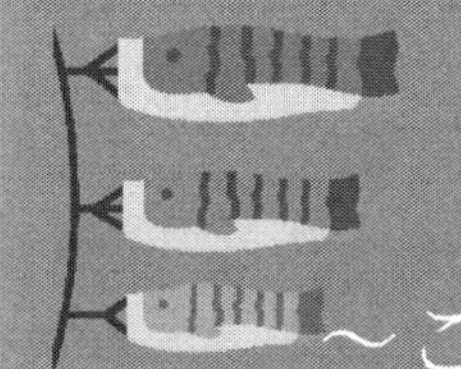

39 강

～ことになっている ~하기로 되어 있다

학습목표

ことになっている를 사용해서 예정·규칙·습관 등을 나타내는 표현을 학습합니다.

1. 접속 방법

동사 + ことになっている

동사ない형 + ことになっている

2. 단어

会(あ)います 만납니다　　行(い)きます 갑니다

します 합니다　　見(み)せます 보여줍니다

3. 예문

1) 夏休(なつやす)みは祖父(そふ)の家(いえ)に行(い)くことになっています。

여름방학은 할아버지 댁에 가기로 되어 있어요.

夏休みは祖父の家に行くことになっています。

2) 明日(あした)は教授(きょうじゅ)に会(あ)うことになっています。

내일은 교수님을 만나기로 되어 있어요.

---

3) 今日(きょう)は10時(じ)に歯医者(はいしゃ)へ行(い)くことになっている。

오늘은 10 시에 치과에 가기로 되어 있다.

---

4) 図書館(としょかん)に入(はい)るにはこのカードを職員(しょくいん)に見(み)せることになっている。

도서관에 들어가려면 이 카드를 직원에게 보여줘야 한다.

---

5) ここで靴(くつ)を脱(ぬ)ぐことになっています。

여기서 신발을 벗게 되어 있어요.

---

6) このドアは開(あ)けてはいけないことになっています。

이 문은 열면 안되게 되어 있어요.

---

7) 17時(じ)を過(す)ぎたら、ここには入(はい)ってはいけないことになっています。

17 시가 넘으면 여기에 들어가면 안 되는 걸로 되어 있어요.

---

8) 健康診断(けんこうしんだん)の前日(ぜんじつ)はお酒(さけ)を飲(の)んではいけないことになっています。

건강 진단 전날은 술을 마시면 안 되게 되어 있습니다.

---

9) この乗(の)り物(もの)は子供(こども)しか乗(の)れないことになっています。

이 놀이기구는 아이들만 탈 수 있게 되어 있어요.

---

10) このサービスは誕生日(たんじょうび)の人(ひと)しか受(う)けられないことになっています。

이 서비스는 생일인 사람만 받을 수 있게 되어 있습니다.

4. 회화

A：今度(こんど)、初(はじ)めて海外旅行(かいがいりょこう)することになりました。

B：いいですね。どこに行(い)くんですか？

A：プサンに行(い)きます。海外旅行(かいがいりょこう)にはパスポートが必要(ひつよう)だと聞(き)きました。

B：そうですね。空港(くうこう)でパスポートを見(み)せることになっています。パスポートはお持(も)ちですか？

A：はい、先月(せんげつ)作(つく)りました。

A: 이번에 처음으로 해외여행을 가게 되었어요.

B: 좋겠네요. 어디에 가나요?

A: 부산에 가요. 해외여행때에는 여권이 필요하다고 들었어요.

B: 맞아요. 공항에서 여권을 보여주게 되어 있어요. 여권을 갖고 있나요?

A: 네, 지난 달에 만들었어요.

5. 확인하기

① 내일은 교수님을 만나기로 되어 있어요.

② 이 서비스는 생일인 사람만 받을 수 있게 되어 있습니다.

확인하기 정답

① 내일은 교수님을 만나기로 되어 있어요.

明日(あした)は教授(きょうじゅ)に会(あ)うことになっています。

② 이 서비스는 생일인 사람만 받을 수 있게 되어 있습니다.

このサービスは誕生日(たんじょうび)の人(ひと)しか受(う)けられないことになっています。

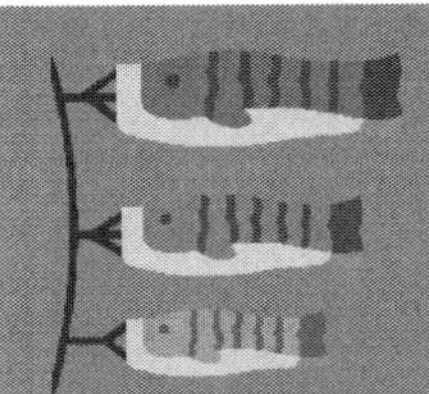

40 강

～ことから ~로 인해, ~때문에

학습목표

ことから를 사용해서 경위나 판단의 근거를 설명하는 표현을 학습합니다.

1. 접속 방법

동사 + ことから

이형용사 + ことから

나형용사 어간 な/である + ことから

명사 である+ ことから

2. 단어

します 합니다　　　とれます 수확합니다, 채집합니다

なります 됩니다　　　似(に)ています 닮아 있습니다

発見(はっけん)します 발견합니다　　　危険(きけん)だ 위험하다

3. 예문

1) あの山(やま)は低(ひく)いことから、山登(やまのぼ)りが初(はじ)めての人(ひと)に人気(にんき)があります。

저 산은 낮기 때문에 등산을 처음 하는 사람에게 인기가 있습니다.

あの山は低いことから、山登りが初めての人に人気があります。

---

2) あの店(みせ)は毎日(まいにち)たくさんの人(ひと)が買(か)いに来(き)ていることから、人気(にんき)があるとわかります。

그 가게는 매일 많은 사람들이 사러 오고 있기 때문에 인기가 있다는 것을 알 수 있습니다.

---

3) この土地(とち)はリンゴがたくさんとれることから、「リンゴ村(むら)」という名前(なまえ)になりました。

이 땅은 사과가 많이 난다 하여 '사과마을'이라는 이름이 되었습니다.

---

4) 山田(やまだ)さんの家(いえ)は電気(でんき)がついていないことから、今日(きょう)は留守(るす)だと考(かんが)えられる。

야마다 씨의 집은 전기가 켜져 있지 않기 때문에 오늘은
부재중이라고 생각된다.

---

5) あの島(しま)はパウエルさんが発見(はっけん)したことから、パウエル島(とう)と呼(よ)ばれています。

그 섬은 파월 씨가 발견했기 때문에 파월 섬이라고 불리고
있습니다.

---

6) 窓(まど)が割(わ)れていることから、犯人(はんにん)はそこから家(いえ)に入(はい)ったと思(おも)われます。

창문이 깨져 있는 것으로 보아 범인은 거기로 집에 들어간 것으로
생각됩니다.

---

7) 彼(かれ)はハンサムでやさしいことから、クラスのみんなから人気(にんき)があります。

그는 잘생기고 다정해서 반 친구들에게 인기가 많아요.

---

8) 大(おお)きな車(くるま)がたくさん通(とお)って危険(きけん)なことから、この道路(どうろ)は人(ひと)が歩(ある)いてはいけないことになっています。

큰 차가 많이 지나가서 위험하기 때문에, 이 도로는 사람이
걸어서는 안 되게 되어 있습니다.

---

9) 田中(たなか)さんの机(つくえ)がいつもきれいなことから、掃除(そうじ)をよくする人(ひと)だとわかる。

다나카 씨의 책상이 항상 깨끗하기 때문에 청소를 잘 하는
사람이라는 것을 알 수 있다.

10) このお菓子(かし)は限定品(げんていひん)であることから、毎朝(まいあさ)多(おお)くの人(ひと)が並(なら)んでいる。

이 과자는 한정품이기 때문에 매일 아침 많은 사람들이 줄을 서고 있다.

4. 회화

A：Bさん、この場所(ばしょ)はどうして「恵比寿(えびす)」と言(い)うか分(わ)かりますか？

B：わかりません。

A：エビスビールって知(し)ってますか？

B：はい、好(す)きなビールですよ。

A：ここでエビスビールが造(つく)られていたことから、「恵比寿(えびす)」という名前(なまえ)になりました。

B：あ、ビールの名前(なまえ)が先(さき)だったんですね。面白(おもしろ)い！

A: B 씨, 이 장소는 왜 '에비스'라고 하는지 아세요?

B: 몰라요.

A: 에비스 맥주라고 알아요?

B: 네, 좋아하는 맥주예요.

A: 여기에서 에비스맥주가 만들어졌던 것으로 인해서 '에비스'라는 이름이 되었어요.

B: 아, 맥주의 이름이 먼저였군요. 재미있네.

5. 플러스 알파

私(わたし)は今日(きょう)、寝坊(ねぼう)したことから遅刻(ちこく)しました。×

私(わたし)は今日(きょう)、寝坊(ねぼう)したので遅刻(ちこく)しました。○

나는 오늘 늦잠을 자서 지각했어요.

※ ことから는 일상적으로 일어나는 일에는 사용하지 않습니다.

6. 확인하기

① 그는 잘생기고 다정해서 반 친구들에게 인기가 많아요.

---

② 이 과자는 한정품이기 때문에 매일 아침 많은 사람들이 줄을 서고 있다.

확인하기 정답

① 그는 잘생기고 다정해서 반 친구들에게 인기가 많아요.

彼(かれ)はハンサムでやさしいことから、クラスのみんなから人気(にんき)があります。

---

② 이 과자는 한정품이기 때문에 매일 아침 많은 사람들이 줄을 서고 있다.

このお菓子(かし)は限定品(げんていひん)であることから、毎朝多(まいあさおお)くの人(ひと)が並(なら)んでいる。

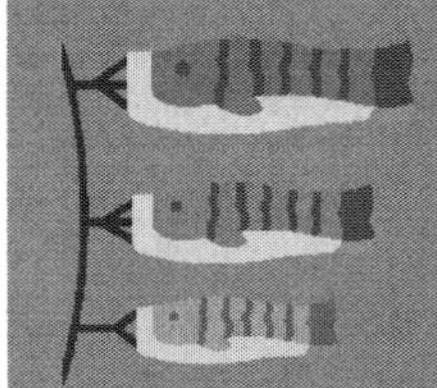

41강

～ごとに ~ 때마다

학습목표

ごとに를 사용해서 일정 조건이 갖추어지면 매번 일어나는 것이라는 표현을 학습합니다.

1. 접속 방법

동사 + ごとに

명사 + ごとに

2. 단어

オリンピック 올림픽　　　シフト 시프트, 당번

成績(せいせき) 성적　　　レジ 레지, 계산대

3. 예문

1) 彼女(かのじょ)はカラオケに行(い)くごとに、歌(うた)が上達(じょうたつ)している。

그녀는 노래방에 갈 때마다 노래 실력이 늘고 있다.

彼女はカラオケに行くごとに、歌が上達している。

2) このスニーカーは歩くごとに光るので、子供は大喜びだ。

이 운동화는 걸을 때마다 빛이 나기 때문에 아이는 매우 즐거워 한다.

---

3) 彼はお酒を一口飲むごとに顔が赤くなっていく。

그는 술을 한 모금 마실 때마다 얼굴이 빨개져 간다.

---

4) 彼の料理は作るごとにおいしくなっている。

그의 요리는 만들 때마다 맛있어지고 있다.

---

5) オリンピックは4年ごとに開かれます。

올림픽은 4 년마다 열립니다.

---

6) アルバイトのシフトは1ヶ月ごとに決まります。

아르바이트의 시프트는 1 개월마다 결정됩니다.

---

7) この学校は半年ごとに成績を決めるテストがあります。

이 학교는 반년마다 성적을 내는 시험이 있어요.

---

8) 3日ごとに花に水をやります。

3 일마다 꽃에 물을 줍니다.

---

9) この画面は30分ごとに変わるそうです。

이 화면은 30 분마다 바뀐대요.

---

10) レジは3時間ごとに交替します。

계산대는 3 시간마다 교대합니다.

4. 회화

A：Bさん、アルバイトをしていますか？

B：はい、しています。

A：アルバイトのシフトはずっと同(おな)じですか？

B：シフトは定期的(ていきてき)に変(か)わります。

A：何ヶ月(なんかげつ)で変(か)わりますか？

B：１ヶ月(かげつ)ごとに変(か)わります。

A: B 씨, 아르바이트를 하고 있나요?

B: 네, 하고 있어요.

A: 아르바이트 시프트는 계속 똑같은가요?

B: 시프트는 정기적으로 바뀌어요.

A: 몇 달마다 바뀌나요?

B: 한 달마다 바뀌어요.

5. 플러스 알파

おきに

練習(れんしゅう)を重(かさ)ねるおきに、上達(じょうたつ)してきましたね。×

練習(れんしゅう)を重(かさ)ねるごとに、上達(じょうたつ)してきましたね。○

연습을 거듭할수록, 능숙해졌네요.

※ おきに와 ごとに는 바꾸어 사용할 수 있는 경우도 있으나, 구분해서 사용해야 경우도 있으니 주의해야 합니다. おきに는 우리말 '간격으로'라고 해석됩니다.

6. 확인하기

① 그는 술을 한 모금 마실 때마다 얼굴이 빨개져 간다.

② 3 일마다 꽃에 물을 줍니다.

확인하기 정답

① 그는 술을 한 모금 마실 때마다 얼굴이 빨개져 간다.

彼(かれ)はお酒(さけ)を一口(ひとくち)飲(の)むごとに顔(かお)が赤(あか)くなっていく。

② 3 일마다 꽃에 물을 줍니다.

3日(みっか)ごとに花(はな)に水(みず)をやります。

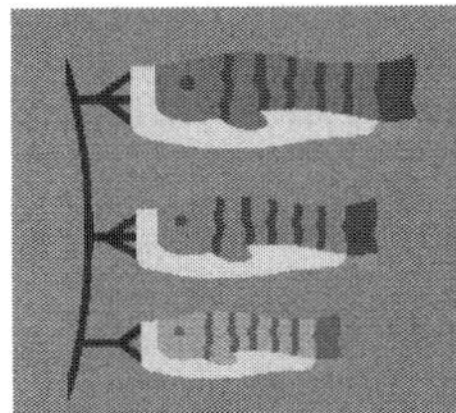

42 강

～結果 ~한 결과

학습목표

結果를 사용해서 앞서 언급한 원인에 의한 결과라는 표현을 학습합니다.

1. 접속 방법

동사た형 + 結果

명 の + 結果

2. 단어

調べます(しら) 조사합니다, 알아봅니다

話し合います(はな・あ) 의논합니다, 상의합니다

相談します(そうだん) 상담합니다, 의논합니다

審査(しんさ) 심사　抽選(ちゅうせん) 추첨　投票(とうひょう) 투표

3. 예문

1) この地域(ちいき)の歴史(れきし)について調(しら)べた結果(けっか)、ここには大(おお)きな城(しろ)があったことがわかりました。

이 지역의 역사에 대해 조사한 결과, 이곳에는 큰 성이 있었다는 것을 알 수 있었습니다.

この地域の歴史について調べた結果、ここには大きな城があったことがわかりました。

---

2) 好(す)きな動物(どうぶつ)についてのアンケートをした結果(けっか)、パンダが一番人気(いちばんにんき)だった。

좋아하는 동물에 대한 설문조사를 한 결과 판다가 가장 인기였다.

---

3) よく話(はな)し合(あ)った結果(けっか)、旅行先(りょこうさき)は北海道(ほっかいどう)に決(き)まった。

잘 논의한 결과, 여행지는 홋카이도로 정해졌다.

---

4) 姉(あね)と相談(そうだん)した結果(けっか)、一緒(いっしょ)に住(す)むことになりました。

언니와 상의한 결과 함께 살게 되었어요.

---

5) よく考えた結果、留学するのはあきらめることにしました。

잘 생각한 결과 유학 가는 것은 포기하기로 했어요.

---

6) 審査の結果、あなたは合格したので、次の面接に来て下さい。

심사 결과 당신은 합격했으니 다음 면접에 오세요.

---

7) 抽選の結果、ハワイ旅行が当選しました。

추첨 결과 하와이 여행이 당첨되었습니다.

---

8) 投票の結果、山田さんが学級委員に選ばれました。

투표 결과, 야마다 씨가 반장으로 뽑혔습니다.

9) A社との交渉の結果、安く材料が買えることになった。

A 사와의 협상 결과, 싸게 재료를 살 수 있게 되었다.

---

10) 調査の結果、ここは地下に温泉が流れていることが分かった。

조사 결과 이곳은 지하로 온천이 흐르는 것으로 나타났다.

4. 회화

A：人気(にんき)がある日本料理(にほんりょうり)が知(し)りたいですから、アンケートをとります。

B：はい。

A：みなさんはどんな日本料理(にほんりょうり)が一番(いちばん)好(す)きですか？この紙(かみ)に書(か)いて下(くだ)さい。書(か)き終(お)わったら、箱(はこ)に入(い)れてもらいます。

B：書(か)き終(お)わりました。

A：アンケートをした結果(けっか)、一番人気(いちばんにんき)がある日本料理(にほんりょうり)は寿司(すし)だとわかりました。

A: 인기 있는 일본 음식을 알고 싶으니, 설문조사를 하겠습니다.
B: 네.
A: 여러분은 어떤 일본 음식을 가장 좋아하나요? 이 종이에 써 주세요. 다 썼으면 상자에 넣어 주세요.
B: 다 썼습니다.
A: 설문조사를 한 결과, 가장 인기 일본 음식은 스시라는 것을 알게 되었습니다.

5. 플러스 알파

あげく

実験(じっけん)は何度(なんど)も失敗(しっぱい)したあげく、やっとうまくいった。×

실험은 몇 번이나 실패한 끝에, 겨우 잘 풀렸다. ×

彼(かれ)と口(くち)ゲンカを繰(く)り返(かえ)したあげく、別(わか)れることになった。○

그와 말싸움을 반복한 끝에, 헤어지기로 했다.

※ あげく는 좋지 않은 결과에만 사용합니다.

6. 확인하기

① 좋아하는 동물에 대한 설문조사를 한 결과 판다가 가장 인기였다.

② 심사 결과 당신은 합격했으니 다음 면접에 오세요.

확인하기 정답

① 좋아하는 동물에 대한 설문조사를 한 결과 판다가 가장 인기였다.

好(す)きな動物(どうぶつ)についてのアンケートをした結果(けっか)、パンダが一番(いちばん)人気(にんき)だった。

② 심사 결과 당신은 합격했으니 다음 면접에 오세요.

審査(しんさ)の結果(けっか)、あなたは合格(ごうかく)したので、次(つぎ)の面接(めんせつ)に来(き)て下(くだ)さい。

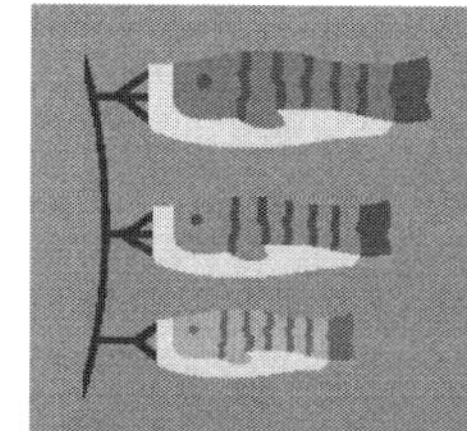

43 강

~かける/かけの

~하다 말다, 하는 도중에

학습목표

かける / かけの를 사용해서 동작하고 있는 도중이거나, 또는 동작이 일어나기 직전이라는 표현을 학습합니다.

1. 접속 방법

동사ます형 + かける

동사ます형 + かけの + 명사

2. 단어

言(い)います 말합니다	落(お)ちます 떨어집니다
死(し)にます 죽습니다	食(た)べます 먹습니다
飲(の)みます 마십니다	読(よ)みます 읽습니다

3. 예문

1) 彼は何かを言いかけて、どこかへ行ってしまった。

그는 무슨 말을 하다말고 어디론가 가버렸다.

彼は何かを言いかけて、どこかへ行ってしまった。

2) 人気がある本ですが、はじめの部分を読みかけて、読むのをやめてしまいました。

인기가 있는 책입니다만, 처음 부분을 읽다가 그만 읽었습니다.

3) 先週転んだときのけがが治りかけている。

지난 주 넘어졌을 때의 상처가 낫기 시작하고 있다.

4) 息子は夏休みの宿題をやりかけて、遊びに行った。

아들은 여름 방학 숙제를 하다말고 놀러 갔다.

5) この食べかけのりんごは誰のですか。

이 먹다 만 사과는 누구 것입니까?

6) あそこに飲(の)みかけのコーヒーが置(お)いてあります。

저기에 먹다 남은 커피가 놓여 있습니다.

---

7) 鍋(なべ)に入(はい)っているのは母(はは)の作(つく)りかけの料理(りょうり)です。

냄비에 들어 있는 것은 어머니가 만들던 요리입니다.

---

8) この部屋(へや)には描(か)きかけの絵(え)が何枚(なんまい)もある。

이 방에는 그리다 만 그림이 여러 장 있다.

---

9) スマートフォンを見(み)ながら駅(えき)のホームを歩(ある)いていたら、

線路(せんろ)に落(お)ちかけた。

스마트폰을 보면서 역 승강장을 걷다가 선로에 떨어질 번했다.

---

10) 彼女(かのじょ)は以前(いぜん)、車(くるま)の事故(じこ)で死(し)にかけたそうです。

그녀는 이전에 차 사고로 죽을 번했다고 합니다.

---

4. 회화 ①

A：この飲みかけのペットボトルのお茶は誰のですか？

B：すみません。私のです。のどが渇いたのでお茶を飲んでいましたが、部長に呼ばれて…

A：そうでしたか。まだたくさん残っていたので、捨てるのはもったいないと思って。

B：ありがとうございます。

A: 이 마시다만 페트병 차는 누구의 것인가요?

B: 죄송해요. 제 거예요. 목이 말라서 차를 마시고 있었는데, 부장님이 부르셔서…

A: 그랬어요? 아직 많이 남아 있어서, 버리기 아깝다고 생각했어요.

B: 고마워요.

4. 회화 ②

A：危(あぶ)ない！

B：ああっ！

A：ホームから落(お)ちかけましたよ。歩(ある)きスマホは止(や)めた方(ほう)いいですよ。

B：すみません。これからは注意(ちゅうい)します。

A: 위험해요!

B: 아앗!

A: 홈에서 떨어질뻔했어요. 걸으면서 스마트폰을 사용지 않는 편이 좋아요.

B: 죄송해요. 앞으로 조심할게요.

5. 확인하기

① 지난 주 넘어졌을 때의 상처가 낫기 시작하고 있다.

② 그녀는 이전에 차 사고로 죽을 번했다고 합니다.

확인하기 정답

① 지난 주 넘어졌을 때의 상처가 낫기 시작하고 있다.

先週転んだときのけがが治りかけている。

② 그녀는 이전에 차 사고로 죽을 번했다고 합니다.

彼女は以前、車の事故で死にかけたそうです。

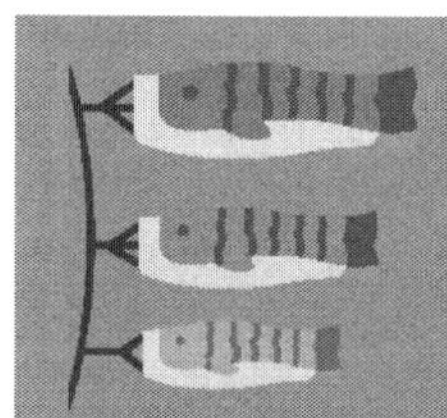

44 강

～から～にかけて ~되어 있다

학습목표

から～にかけて를 사용해서 일정 범위안에서
일어나는 사건 또는 현상에 대한 표현을 학습합니다.

1. 접속 방법

명사 + から 명사 + にかけて

2. 단어

北京(ぺきん) 베이징　　成長(せいちょう) 성장　　夕方(ゆうがた) 저녁때

関東地方(かんとうちほう) 관동지역(일본 간토 지방)

東北地方(とうほくちほう) 동북지역(일본 도호쿠 지방)

3. 예문

1) 私(わたし) は 2014年(ねん)から 2018年(ねん)にかけて、北京(ぺきん)に住(す)んでいました。

저는 2014 년부터 2018 년에 걸쳐서 베이징에 살았습니다.

私は 2014 年から 2018 年にかけて、北京に住んでいました。

---

2) 彼女(かのじょ)は去年(きょねん)から今年(ことし)の夏(なつ)にかけて、ダイエットをしていました。

그녀는 작년부터 올해 여름에 걸쳐서 다이어트를 하고 있었습니다.

---

3) 子供(こども)は 2 歳(さい)から 5 歳(さい)にかけて、成長(せいちょう)が速(はや)いです。

아이들은 2 세부터 5 세에 걸쳐서 성장이 빠릅니다.

---

4) 明日(あした)は朝(あさ)から夕方(ゆうがた)にかけて、雨(あめ)が降(ふ)るそうです。

내일은 아침부터 저녁에 걸쳐서 비가 온다고 합니다.

5) レストランは夕方(ゆうがた)から夜(よる)にかけて、忙(いそが)しいです。

레스토랑은 저녁부터 밤에 걸쳐서 바쁩니다.

---

6) 日本(にほん)は7月(がつ)から9月(がつ)にかけて、暑(あつ)い日(ひ)が続(つづ)きます。

일본은 7 월부터 9 월에 걸쳐서 더운 날씨가 계속됩니다.

---

7) この店(みせ)は11時(じ)から14時(じ)にかけて、とても混雑(こんざつ)します。

이 가게는 11 시부터 14 시에 걸쳐서 매우 혼잡합니다.

---

8) 今週(こんしゅう)から来週(らいしゅう)にかけて、毎日(まいにち)テストがあるので、勉強(べんきょう)しなければなりません。

이번 주부터 다음 주에 걸쳐서 매일 시험이 있기 때문에 공부해야 합니다.

---

9) 今週(こんしゅう)は水曜日(すいようび)から金曜日(きんようび)にかけて、忙(いそが)しくなりそうだ。

이번 주는 수요일부터 금요일에 걸쳐서 바쁠 것 같다.

---

10) 昨日(きのう)は関東地方(かんとうちほう)から東北地方(とうほくちほう)にかけて、大雨(おおあめ)が降(ふ)りました。

어제는 간토 지방에서 도호쿠 지방에 걸쳐 호우가 내렸습니다.

4. 회화

A：これは１月から 12月まで、日本に台風がいくつ来るかを表したグラフです。何月から何月まで、台風が多いですか？

B：７月から１０月までです。

A：そうですね、日本は７月から１０月にかけて、台風が多いです。

A：2015年の時、大きな台風が来ました。雨がたくさん降った場所はどこからどこまでですか？

B：関東地方から東北地方にかけて、雨がたくさん降りました。

A: 이건 1 월부터 12 월까지 일본에 태풍이 몇 개나 오는지를 나타낸 그래프입니다. 몇 월부터 몇 월까지 태풍이 많나요?

B: 7 월부 10 월까지입니다.

A: 그렇네요. 일본은 7 월부터 10 월에 걸쳐서 태풍이 많습니다.

2015 년에 큰 태풍이 왔습니다. 비가 많이 내린 곳은 어디부터 어디까지인가요?

B: 간토 지방에서 도호쿠 지방에 걸쳐서 비가 많이 내렸습니다.

5. 플러스 알파

から～まで

1時から1時30分まで昼休みです。

1시부터 1시 30분까지 점심시간입니다.

から～にかけて

午後から夕方にかけて宿題をします。

오후부터 저녁에 걸쳐서 숙제를 합니다.

※ から～までは 비교적 구체적이고 정확한 범위에 사용합니다.

6. 확인하기

① 그녀는 작년부터 올해 여름에 걸쳐서 다이어트를 하고 있었습니다.

② 어제는 간토 지방에서 도호쿠 지방에 걸쳐 호우가 내렸습니다.

확인하기 정답

① 그녀는 작년부터 올해 여름에 걸쳐서 다이어트를 하고 있었습니다.

彼女(かのじょ)は去年(きょねん)から今年(ことし)の夏(なつ)にかけて、ダイエットをしていました。

② 어제는 간토 지방에서 도호쿠 지방에 걸쳐 호우가 내렸습니다.

昨日(きのう)は関東地方(かんとうちほう)から東北地方(とうほくちほう)にかけて、大雨(おおあめ)が降(ふ)りました。

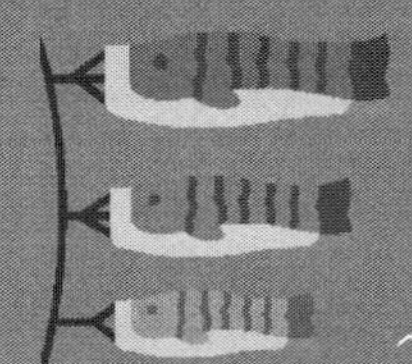

45강

～きる ~전부 ~하다, 끝까지 ~하다

학습목표

きる를 사용해서 동작을 완료하거나, 완전히 해낸다는 강조의 표현을 학습합니다.

1. 접속 방법

동사ます형 + きる

2. 단어

数(かぞ)えます 가르칩니다

覚(おぼ)えます 외웁니다, 익힙니다

食(た)べます 먹습니다

疲(つか)れます 피곤합니다, 지칩니다

飲(の)みます 마십니다

走(はし)ります 달립니다

やります 합니다

3. 예문

1) 空には数えきれないほどの星があります。

하늘에는 수없이 많은 별이 있습니다.

空には数えきれないほどの星があります。

2) テストは明日だ…。単語を全部覚えきるのは 難 しそうだ。

시험은 내일이다. 단어를 다 외우기는 힘들 것 같아.

3) こんなにたくさん食べきれません。

이렇게 많이 못 먹어요.

4) 息子は運動会でたくさん走って、疲れきったようだ。

아들은 운동회에서 많이 뛰어서 피곤한 것 같다.

5) 彼女は1人で2リットルの 牛 乳 を全部飲みきりました。

그녀는 혼자서 2 리터의 우유를 전부 다 마셨습니다.

6) マラソンを最後(さいご)まで走(はし)りきった。

마라톤을 끝까지 완주했다.

---

7) 大(おお)きな仕事(しごと)でしたが、やりきりました。

큰 일이었지만 다 해냈어요.

---

8) レポートを書(か)ききった。

리포트를 다 썼다.

---

9) 彼女(かのじょ)は最後(さいご)まで全力(ぜんりょく)で歌(うた)いきった。

그녀는 끝까지 전력으로 노래를 다 불렀다.

---

10) 彼(かれ)は試合(しあい)で全力(ぜんりょく)を出(だ)しきって、優勝(ゆうしょう)しました。

그는 경기에서 전력을 다하여 우승했습니다.

4. 회화

A：「早口言葉(はやくちことば)」を知(し)っていますか？

B：はい、知(し)っています。

A：この早口言葉(はやくちことば)を3回(かい)読(よ)んでください。

B：「もももすもももももものうち」X3

A：早口言葉(はやくちことば)を3回(かい)読(よ)みきりました。よく頑張(がんば)りました。

A: '잰말놀이'를 알고 있나요?

B: 네, 알아요.

A: 이 잰말놀이를 3 번 읽어 보세요.

B: 'もももすもももももものうち'

A: 잰말놀이를 3 번 읽어냈네요. 잘 했어요.

5. 헷갈리기 쉬운 부분

全部(ぜんぶ)食(た)べきりません。 X

全部(ぜんぶ)食(た)べきれません。 O

전부 먹을 수 없어요.

※ 동사 + きる는 능력의 뉘앙스를 담고 있기 때문에, 부정의 표현은 가능형을 사용합니다.

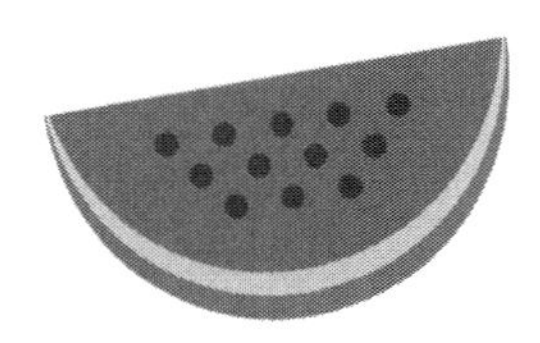

6. 확인하기

① 시험은 내일이다. 단어를 다 외우기는 힘들 것 같아.

---

② 마라톤을 끝까지 완주했다.

확인하기 정답

① 시험은 내일이다. 단어를 다 외우기는 힘들 것 같아.

テストは明日(あした)だ…。単語(たんご)を全部覚(ぜんぶおぼ)えきるのは難(むずか)しそうだ。

---

② 마라톤을 끝까지 완주했다.

マラソンを最後(さいご)まで走(はし)りきった。

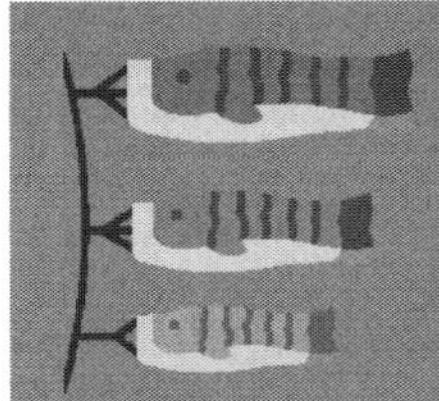

46 강

～がち -하기 쉽다

학습목표

がち를 사용해서 특정 행동이나 상태가 되는 경향이 강하다는 표현을 학습합니다.

1. 접속 방법

동사ます형 + がち

명사 + がち

2. 단어

あります 있습니다

遅(おく)れます 늦습니다

不足(ふそく)します 부족합니다

休(やす)みます 쉽니다

忘(わす)れます 잊습니다

病気(びょうき) 병이 남, 병을 앓음

曇(くも)り (날씨)흐림

3. 예문

1) このミスはよくありがちだから、気(き)をつけてくださいね。

이 실수는 자주 있기 때문에, 조심해 주세요.

このミスはよくありがちだから、気をつけてくださいね。

---

2) 天気(てんき)が悪(わる)い日(ひ)は、バスが遅(おく)れがちだ。

날씨가 나쁜 날은 버스가 지연되기 십상이다.

---

3) 一人暮(ひとりぐ)らしをしていると、野菜(やさい)が不足(ふそく)しがちになります。

혼자 살다 보면 채소(섭취)가 부족해지기 쉬워집니다.

---

4) この漢字(かんじ)は間違(まちが)って読(よ)みがちですから、気(き)をつけてください。

이 한자는 잘못 읽기 쉬우니 조심하세요.

---

5) 最近田中君(さいきんたなかくん)は宿題(しゅくだい)を忘(わす)れがちだ。

요즘 다나카 군은 숙제를 잊기 십상이다.

さいきん け が　　　　　　　　　じゅんびうんどう
6) 最近怪我をしがちだから、よく準備運動をしてから

はし
走ろう。

요즘 다치기 쉬우니까 준비운동 잘 하고 뛰자.

むすこ　ねぼう　　　　がっこう　ちこく　　　　　おお
7) 息子は寝坊しがちで、学校に遅刻することが多い。

아들은 늦잠을 자기 일쑤로, 학교에 지각하는 경우가 많다.

かのじょ　さいきんしごと　やす
8) 彼女は最近仕事を休みがちだけど、どうしたのかな。

그녀는 요즘 일을 쉬기 일쑤인데, 무슨 일일까?

さいきんくも　　　　せんたくもの　かわ
9) 最近曇りがちで、洗濯物が乾きません。

요즘 날씨가 자주 흐려서 빨래가 마르지 않아요.

かれ　びょうきがち　　　がっこう　やす
10) 彼は病気がちで、よく学校を休みます。

그는 자주 아파서 자주 학교를 쉽니다.

---

4. 회화

A：休(やす)みの日(ひ)、何時(なんじ)に起(お)きますか？

B：12時(じ)に起(お)きます。

A： 休(やす)みの日(ひ)は遅(おそ)く起(お)きることが多(おお)いですか？

B：はい、休(やす)みの日(ひ)は遅(おそ)く起(お)きがちです。

A: 쉬는 날, 몇시에 일어나나요?

B: 12 시에 일어나요.

A: 쉬는 날은 늦게 일어나는 일이 많나요?

B: 네, 쉬는 날은 늦게 일어나기 일쑤예요.

5. 플러스 알파

ありがち

この病気(びょうき)は子供(こども)にありがちだ。

이 병은 아이들이 걸리기 십상이다

※ ありがち는 동사 ある와 같은 의미로 사용할 수 있으며 주로 좋지 않은 일이 일어나는 경향에 대해서 사용합니다.

6. 확인하기

① 이 한자는 잘못 읽기 쉬우니 조심하세요.

---

② 그는 자주 아파서 자주 학교를 쉽니다.

확인하기 정답

① 이 한자는 잘못 읽기 쉬우니 조심하세요.

この漢字(かんじ)は間違(まちが)って読(よ)みがちですから、気(き)をつけてください。

---

② 그는 자주 아파서 자주 학교를 쉽니다.

彼(かれ)は病気(びょうき)がちで、よく学校(がっこう)を休(やす)みます。

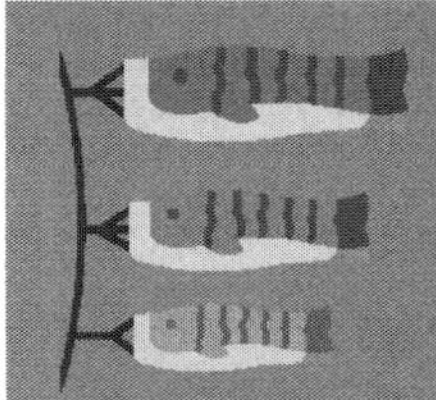

47 강

～かわりに ~대신에

학습목표

かわりに를 사용해서 대리나 대용의 표현을 학습합니다.

1. 접속 방법

동사 + かわりに

명사 の + かわりに

2. 단어

遊(あそ)びます 놉니다　　行(い)きます 갑니다　　見(み)ます 봅니다

読(よ)みます 읽습니다　　遊園地(ゆうえんち) 유원지　　水族館(すいぞくかん) 수족관

予算(よさん) 예산　　はんこ 도장

3. 예문

1) 今日は天気が悪いから、遊園地へ行くかわりに、水族館へ行こう。

오늘은 날씨가 안좋으니까 놀이공원 가는 대신 수족관 가자.

今日は天気が悪いから、遊園地へ行くかわりに、水族館へ行こう。

---

2) 予算オーバーなので、ハワイへ行くかわりに、沖縄へ行きませんか。

예산 초과이기 때문에 하와이에 가는 대신 오키나와에 가지 않겠습니까?

---

3) 最近の子供は外で遊ぶかわりに、家でゲームをしている。

요즘 아이들은 밖에서 노는 대신 집에서 게임을 하고 있다.

---

4) 海で泳ぐかわりに、プールで泳ぎます。

바다에서 수영하는 대신에 수영장에서 수영합니다.

---

5) 最近は新聞を読むかわりに、インターネットでニュースを見る人が増えています。

최근에는 신문을 읽는 대신 인터넷으로 뉴스를 보는 사람이 늘고 있습니다.

---

6) 砂糖のかわりに、ハチミツを使ってもいいですよ。

설탕 대신 꿀을 사용해도 돼요.

---

7) はんこのかわりに、サインでもいいです。

도장 대신에 사인도 됩니다.

---

8) 今日の会議は部長のかわりに、 私 が 出 席 します。

오늘 회의는 부장님 대신 제가 참석하겠습니다.

---

9) 箸のかわりに、フォークで食べる。

젓가락 대신 포크로 먹는다.

---

10) 母(はは)の体調(たいちょう)が悪(わる)いので、母(はは)のかわりに、弟(おとうと)が買(か)い物(もの)へ行(い)った。

엄마의 몸이 안좋아서 엄마 대신 동생이 장을 보러 갔다.

4. 회화

A：Bさんは料理(りょうり)をしますか？

B：私(わたし)は料理(りょうり)が得意(とくい)ですよ。

A：何(なに)が一番得意(いちばんとくい)ですか？

B：牛丼(ぎゅうどん)です。

A：じゃ、牛丼(ぎゅうどん)の作(つく)り方(かた)教(おし)えてください。

B：まずは牛肉(ぎゅうにく)に砂糖(さとう)を入(い)れます。もし砂糖(さとう)がなかったら、砂糖(さとう)のかわりに、ハチミツを入(い)れます。

A: B 씨는 요리를 하나요?

B: 저는 요리가 특기예요.

A: 뭐를 제일 잘 만들어요?

B: 소고기 덮밥이요.

A: 그럼 소고기 덮밥 만드는 방법을 알려주세요.

B: 먼저 소고기에 설탕을 넣습니다. 만약 설탕이 없다면, 설탕 대신에 꿀을 넣어요.

5. 플러스 알파

にかわって

1) 대리

上司(じょうし)にかわってスピーチをした O

上司(じょうし)のかわりにスピーチをした O

상사를 대신해서 스피치를 했다.

1) 대용

箸(はし)にかわってフォークを使(つか)う。 X

箸(はし)のかわりにフォークを使(つか)う。 O

젓가락 대신에 포크를 사용한다.

※ にかわって는 인물이나 인물의 역할을 대신할 때에만 사용할 수 있고, 대용의 용법에는 사용할 수 없습니다.

6. 확인하기

① 최근에는 신문을 읽는 대신 인터넷으로 뉴스를 보는 사람이 늘고 있습니다.

---

② 오늘 회의는 부장님 대신 제가 참석하겠습니다.

확인하기 정답

① 최근에는 신문을 읽는 대신 인터넷으로 뉴스를 보는 사람이 늘고 있습니다.

最近(さいきん)は新聞(しんぶん)を読(よ)むかわりに、インターネットでニュースを見(み)る人(ひと)が増(ふ)えています。

② 오늘 회의는 부장님 대신 제가 참석하겠습니다.

今日(きょう)の会議(かいぎ)は部長(ぶちょう)のかわりに、私(わたし)が出席(しゅっせき)します。

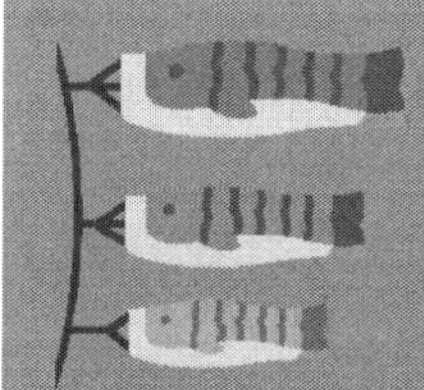

48 강

～おきに ~간격으로, ~걸러서

학습목표

おきに를 사용해서 일정 간격을 두고 일어나는 일이나 상황의 표현을 학습합니다.

1. 접속 방법

명사(수량사) + おきに

2. 단어

1キロ 1킬로　　2か月(かげつ) 2개월

1つ 한 개　　2週間(しゅうかん) 2주간

3. 예문

1) オリンピックは3年(ねん)おきに開(ひら)かれます。

올림픽은 3년 간격으로 열립니다.

オリンピックは3年おきに開かれます。

2) 船(ふね)は30分(ぷん)おきに来(き)ます。

배는 30 분 간격으로 옵니다.

---

3) 1つおきに座(すわ)ってください。

한 자리 간격으로 앉으세요.

---

4) 今度(こんど)のマラソン大会(たいかい)では、1キロおきに、係員(かかりいん)が立(た)っています。

이번 마라톤 대회에서는 1km 간격으로 직원이 서 있습니다.

---

5) 生(う)まれたばかりの赤(あか)ちゃんは、3時間(じかん)おきにミルクを飲(の)みます。

갓 태어난 아기는 3 시간 간격으로 우유를 마십니다.

6) この学校では2か月おきにテストをして、クラスを分けます。

이 학교에서는 두 달 간격으로 테스트를 하고 반을 나눕니다.

---

7) 車のタイヤは3年おきに、替えた方が安全でしょう。

자동차 타이어는 3 년 간격으로 교체하는 것이 안전할 것입니다.

---

8) 最近、眠れなくて、2時間おきに目が覚めてしまいます。

최근 잠을 잘 수 없어서 2 시간 간격으로 잠을 깨어 버립니다.

---

9) 2週間おきに、病院へ行かなければなりません。

2 주 간격으로 병원에 가야 합니다.

---

10) 10分おきに目覚まし時計がなっても起きられません。

10 분 간격으로 알람 시계가 울려도 일어날 수 없습니다.

---

4. 회화

A：Bさん、おはようございます。お出(で)かけですか？

B：ええ、ちょっと病院(びょういん)まで。

A：どこか悪(わる)いんですか？

B：たいしたことじゃないんですが、この間(あいだ)、ちょっとやけどをしてしまって、2日(ふつか)おきに病院(びょういん)で診(み)てもらっているんですよ。

A：そうですか。やけどは大丈夫(だいじょうぶ)ですか？

B：ええ、だんだん良(よ)くなっています。

A：病院(びょういん)まではバスで？

B：ええ、病院(びょういん)もバス停(てい)から近(ちか)いし、一番近(いちばんちか)いバス停(てい)から10分(ぷん)おきにバスも出(で)ているので、便利(べんり)なんです。

A：そうですか。気(き)をつけて行(い)ってらっしゃい。

A: B 씨 안녕하세요. 외출하시나요?

B: 네, 병원에 좀 가요.

A: 어딘가 안 좋아요?

B: 별거 아니긴 한데, 얼마전에 화상을 입어서 2 일 간격으로 병원에서 진료를 받고 있어요.

A: 그렇군요. 화상은 괜찮나요?

B: 네, 점점 좋아지고 있어요.

A: 병원까지는 버스로요?

B: 네, 병원도 버스 정류장에서 가깝기도 하고, 가장 가까운 버스 정류장에서 10 분 간격으로 버스가 출발해서 편리하거든요.

A: 그렇군요. 조심해서 다녀오세요.

5. 플러스 알파

おきに vs ごとに

1時間(じかん)おきに水(みず)を飲(の)みましょう。1시간 간격으로 물을 마십시다.

1時間(じかん)ごとに水(みず)を飲(の)みましょう。 1시간마다 물을 마십시다.

3日(みっか)おきに電話(でんわ)をかけます。3일 걸러서 전화를 걸어요.

3日(みっか)ごとに電話(でんわ)をかけます。3일마다 전화를 걸어요.

1年(ねん)おきに、点検(てんけん)をする。1년 걸러서 점검을 해요. (2년에 한 번)

1年(ねん)ごとに、点検(てんけん)をする。1년마다 점검을 해요. (매년)

オリンピックは3年(ねん)おきに開催(かいさい)される。올림픽은 3년 간격으로 개최된다.

オリンピックは4年(ねん)ごとに開催(かいさい)される。올림픽은 4년마다 개최된다.

※ おきに는 '간격, 걸러서'의 해석으로 명사만 수반할 수 있으며, ごとに는 '마다'의 해석으로 명사와 동사를 모두 수반할 수 있습니다. 또한 초, 분, 시간에는 바꾸어 사용할 수 있습니다.

6. 확인하기

① 갓 태어난 아기는 3 시간 간격으로 우유를 마십니다.

---

② 이 학교에서는 두 달 간격으로 테스트를 하고 반을 나눕니다.

확인하기 정답

① 갓 태어난 아기는 3 시간 간격으로 우유를 마십니다.

生(う)まれたばかりの赤(あか)ちゃんは、3時間(じかん)おきにミルクを飲(の)みます。

② 이 학교에서는 두 달 간격으로 테스트를 하고 반을 나눕니다.

この学校(がっこう)では2か月(げつ)おきにテストをして、クラスを分(わ)けます。

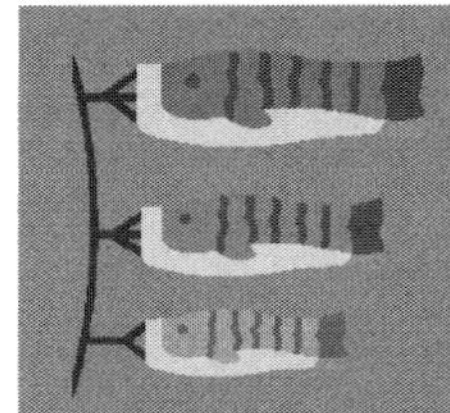

49 강

お～だ 경어 표현

학습목표

お～だ를 정중한 상황에 사용하는 경어의 표현을 학습합니다.

1. 접속 방법

お 동사ます형 + だ

2. 단어

待(ま)ちます 기다립니다　　持(も)ちます 소지합니다

帰(かえ)ります 돌아갑니다, 돌아옵니다 (회귀합니다)

戻(もど)ります 돌아갑니다, 돌아옵니다

決(き)まります 결정됩니다　　忘(わす)れます 잊습니다

3. 예문

1) お客様(きゃくさま)がお待(ま)ちです。

고객님이 기다리십니다.

お客様がお待ちです。

---

2) ご注文(ちゅうもん)はお決(き)まりですか。

주문은 결정하셨습니까?

---

3) 何(なに)をお読(よ)みですか。

무엇을 읽으십니까?

---

4) 場所(ばしょ)はおわかりですか。

장소는 아십니까?

---

5) 部長(ぶちょう)がお呼(よ)びです。

부장님이 부르십니다.

---

6) 休(やす)みの日(ひ)は、何(なに)をしてお過(す)ごしですか。

쉬는 날은 뭐하고 지내시나요?

---

7) どこにお泊(とま)りですか。

어디에 묵고 계십니까?

---

8) お客様(きゃくさま)、何(なに)をお探(さが)しですか。

고객님 무엇을 찾으시나요?

---

9) 何時(なんじ)にお着(つ)きですか。

몇 시에 도착하시나요?

---

10) 何時(なんじ)ごろお戻(もど)りですか。

몇 시쯤 돌아오시나요?

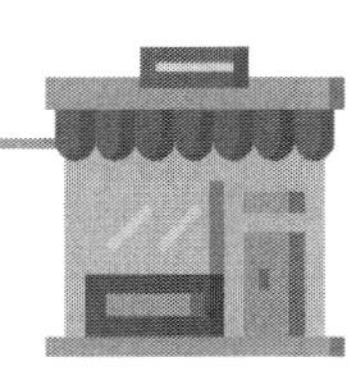

4. 회화 ①

部長：来週(らいしゅう)の月曜日(げつようび)から、福岡(ふくおか)に出張(しゅっちょう)に行(い)って来(き)ます。

部下Ａ：いつお戻(もど)りですか。

部長：水曜日(すいようび)に戻(もど)ります。

部下Ａ：わかりました。ホテルは、お決(き)まりですか。

部長：博多駅(はかたえき)の近(ちか)くのいつものホテルに泊(と)まります。

部下Ａ：そうですか。

部下Ｂ：失礼(しつれい)します。部長(ぶちょう)、１階(かい)ロビーでお客様(きゃくさま)がお待(ま)ちです。

部長：わかりました。今(いま)、行(い)きます。

부장님: 다음주 월요일부터 후쿠오카에 출장을 다녀 올 거예요.

부하 직원: 언제 돌아오시나요?

부장님: 수요일에 돌아옵니다.

부하 직원: 알겠습니다. 호텔은 결정하셨나요?

부장님: 하카타역 근처에 있는 항상 가던 호텔에 묵을 거예요.

부하 직원: 그러시군요.

부하 직원 B: 실례하겠습니다. 부장님, 1층 로비에 손님이 기다리고 계십니다.

부장님: 알겠습니다. 지금 갈게요.

4. 회화 ②

参加者：すみません、14：00からのセミナー会場はどちらですか。

受付係：こんにちは。受付はお済みですか。

参加者：いえ、まだです。

受付係：では、こちらにお名前をご記入ください。パンフレットはお持ちですか。

参加者：はい、持っています。

受付係：では、あちらのエレベーターで5階へお上がりください。

参加者：ありがとうございます。

참가자: 실례합니다, 오후 2 시부 있는 세미나 장소는 어디인가요?

접수관계자: 안녕하세요. 접수는 하셨나요?

참가자: 아니오, 아직이에요.

접수관계자: 그럼, 여기에 성함을 기입해 주시기 바랍니다.

팸플릿은 갖고 계신가요?

참가자: 네, 갖고 있어요.

접수관계자: 그럼 저쪽에 있는 엘리베이터로 5 층에 올라가세요.

참가자: 감사합니다.

5. 플러스 알파

1) 한자어에 붙는 미화어 ご를 사용한 경어 표현

ご参加(さんか)です 참가합니다

ご旅行(りょこう)です 여행합니다

ご出席(しゅっせき)です 출석합니다

ご欠席(けっせき)です 결석합니다

ご出発(しゅっぱつ)です 출발합니다

ご到着(とうちゃく)です 도착합니다

※ 한자어에는 미화어 ご를 사용해서 경어를 만들기도 하지만 다수의 예외가 존재합니다.

2) 특별한 형태의 경어 표현

行(い)きます/来(き)ます/います → おいでです/いらっしゃいます

来(き)ます → お越(こ)しです/お見(み)えです

食(た)べます → お召(め)し上(あ)がりです

寝(ね)ます → お休(やす)みです

住(す)んでいます → お住(す)まいです

知(し)っています → ご存(ぞん)じです

6. 확인하기

① 장소는 아십니까?

---

② 고객님 무엇을 찾으시나요?

확인하기 정답

① 장소는 아십니까?

場所(ばしょ)はおわかりですか。

---

② 고객님 무엇을 찾으시나요?

お客様(きゃくさま)、何(なに)をお探(さが)しですか。

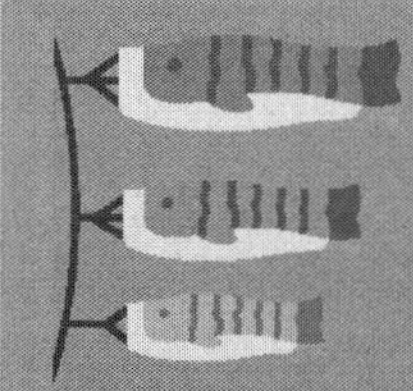

50 강
いくら～ても/どんなに～ても
아무리 ~해도

학습목표

いくら～ても/どんなに～ても를 사용해서 어떤 일이 있어도 결과에는 영향을 끼치지 않는다는 표현을 학습합니다.

1. 접속 방법

いくら/どんなに 동사て형 + も

いくら/どんなに 이형용사 어간 くて + も

いくら/どんなに 나형용사 어간 で + も

いくら/どんなに 명사 で + も

2. 단어

待(ま)ちます 기다립니다　　読(よ)みます 읽습니다

食(た)べます 먹습니다　　調(しら)べます 조사합니다, 알아봅니다

寝(ね)ます 잡니다　　安(やす)い 저렴하다, 싸다

高(たか)い 비싸다, 높다　　忙(いそが)しい 바쁘다

きれいだ 예쁘다, 깨끗하다　　便利(べんり)だ 편리하다

3. 예문

1) 彼女(かのじょ)はいくら食(た)べても、太(ふと)りません。

그녀는 아무리 먹어도 살이 찌지 않아요.

彼女はいくら食べても、太りません。

2) 最近(さいきん)いくら寝(ね)ても、眠(ねむ)いんです。

요즘 아무리 자도 졸려요.

3) いくら勉強(べんきょう)しても、成績(せいせき)が上(あ)がりません。

아무리 공부해도 성적이 오르지 않아요.

4) いくら安(やす)くても、いらないものは買(か)いません。

아무리 싸도 필요 없는 것은 사지 않습니다.

5) いくら美人(びじん)でも、性格(せいかく)が悪(わる)い人(ひと)とは付(つ)き合(あ)いたくないです。

아무리 미인이라도 성격이 나쁜 사람과는 사귀고 싶지 않아요.

6) どんなに頑張(がんば)っても、足(あし)が速(はや)くなりません。

아무리 열심히 해도 발이(달리기가) 빨라지지 않아요.

---

7) どんなに疲(つか)れていても、晩(ばん)ご飯(はん)は自分(じぶん)で作(つく)ります。

아무리 피곤해도 저녁은 제가 직접 만들어요.

---

8) どんなにまずくても、彼女(かのじょ)の作(つく)った料理(りょうり)なら食(た)べます。

아무리 맛이 없어도 그녀가 만든 요리라면 먹을 거예요.

---

9) どんなに危険(きけん)でも、挑戦(ちょうせん)してみたいんです。

아무리 위험해도 도전해보고 싶어요.

---

10) どんなに優秀(ゆうしゅう)な社員(しゃいん)でも、コミュニケーション力(りょく)が低(ひく)ければ評価(ひょうか)されません。

아무리 우수한 직원이라도 의사소통력이 낮으면 평가(인정)받지 못합니다.

---

4. 회화 ①

A：Bさん、ダイエットしているそうだね。

B：うん、そうなんだ。でも、いくら食べる量を減らしても、全然やせないんだ。

A：食べる量を減らすだけではだめだよ。運動もしないと。

B：やっぱりそうかぁ…。運動、きらいなんだよなぁ。

A：私が通っているジムに見学に来てみない？みんながトレーニングをしているのを見れば、どんなにきつくても頑張れるよ。

B：本当？じゃあ、ちょっと行ってみようかな。

A：うん！じゃ、明日行くから一緒に行こうよ。

B：わかった。じゃ、明日ね。

A: B 씨 다이어트하고 있다면서.

B: 응, 맞아. 근데 아무리 먹는 양을 줄여도 전혀 살이 빠지지 않아.

A: 먹는 양을 줄이는 것만으로는 안돼. 운동도 하지 않으면.

B: 역시 그런가. 운동, 싫은데.

A: 내가 다니고 있는 헬스장에 구경 오지 않을래? 다들 트레이닝을 하고 있는 걸 보면, 아무리 힘들더라도 열심히 할 수 있어.

B: 그래? 그럼 좀 가 볼까

A: 응. 그럼 내일 가니까 함께 가자.

B: 알았어. 그럼 내일 보자.

4. 회화 ②

A：ねえ、見(み)て。この雑誌(ざっし)に載(の)っている靴(くつ)、かわいいでしょう。

B：本当(ほんとう)、かわいいね。

A：こんな靴(くつ)が欲(ほ)しいと思(おも)って、先週(せんしゅう)から探(さが)しているんだけど、いくら探(さが)しても見(み)つからないのよ。

B：そうなんだ。これと同(おな)じじゃなくても、似(に)ている靴(くつ)でもいいんじゃない？

A：似(に)ているのでもいいけど…絶対(ぜったい)にこの色(いろ)が欲(ほ)しいの！

B：そう…。インターネットでも探(さが)してみたら？

A：そうね。見(み)つけたら、どんなに高(たか)くても絶対(ぜったい)に買(か)うわ！

A: 저기 이거 좀 봐. 이 잡지에 나와 있는 신발, 귀엽지.

B: 응 귀엽네.

A: 이런 신발을 갖고 싶다고 생각해서 지난주부터 찾고 있긴한데, 아무리 찾아봐도 찾을 수가 없는 거 있지.

B: 그렇구나. 이거랑 똑같지는 않아도 비슷한 신발이라도 괜찮지 않아?

A: 비슷한 거라도 괜찮긴 한데… 꼭 이 색깔을 갖고 싶거든.

B: 그렇구나. 인터넷으로 찾아 보면 어때?

A: 맞네. 찾으면 아무리 비싸도 꼭 살 거야!

5. 연습하기

1) 安いです→　いくら安くても/どんなに安くても

2) 忙しいです→　いくら忙しくても/どんなに忙しくても

3) おいしいです→　いくらおいしくても/どんなにおいしくても

4) きれいです→　いくらきれいでも/どんなにきれいでも

5) 簡単です→　いくら簡単でも/どんなに簡単でも

6) 無理です→　いくら無理でも/どんなに無理でも

7) お金持ちです→　いくらお金持ちでも/どんなにお金持ちでも

8) 有名な店です→　いくら有名な店でも/どんなに有名な店でも

6. 확인하기

① 아무리 공부해도 성적이 오르지 않아요.

② 아무리 위험해도 도전해보고 싶어요.

확인하기 정답

① 아무리 공부해도 성적이 오르지 않아요.

いくら勉強(べんきょう)しても、成績(せいせき)が上(あ)がりません。

② 아무리 위험해도 도전해보고 싶어요.

どんなに危険(きけん)でも、挑戦(ちょうせん)してみたいんです。

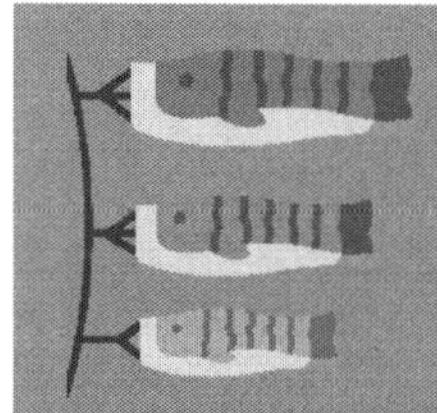

51 강

～うちに ~동안에, ~사이에

학습목표

うちに를 사용해서 일정 시점 이내에 일어난다는 표현을 학습합니다.

1. 접속 방법

동사/ている/ない + うちに

이형용사 + うちに

나형용사 어간 な + うちに

명사 の + うちに

2. 단어

忘(わす)れます 잊습니다　　いま す 있습니다

冷(さ)めます 식습니다　　練習(れんしゅう)します 연습합니다

なります 됩니다　　若(わか)い 젊다, 어리다

元気(げんき)だ 건강하다, 활기차다

3. 예문

1) 明(あか)るいうちに、準備(じゅんび)をしておきましょう。

밝을 때 준비를 해 둡시다.

明るいうちに、準備をしておきましょう。

2) 若(わか)いうちに、いろいろな経験(けいけん)をしておきたいです。

젊었을 때 여러 가지 경험을 해 두고 싶습니다.

3) 両親(りょうしん)が元気(げんき)なうちに、一緒(いっしょ)に旅行(りょこう)に行(い)きたいです。

부모님이 건강하실 때 함께 여행을 가고 싶어요.

4) 涼(すず)しい朝(あさ)のうちに、花(はな)に水(みず)をやっておきます。

선선한 아침 사이에 꽃에 물을 줘놓습니다.

5) 日本(にほん)にいるうちに、一度富士山(いちどふじさん)に登(のぼ)ってみたいです。

일본에 있는 동안에 한번 후지산에 올라가 보고 싶습니다.

6) 毎日話をしているうちに、彼女のことが好きになってきた。

매일 이야기를 하다 보니 그녀가 좋아졌다.

7) 練習しているうちに、上手になります。

연습하다 보면 잘하게 돼요.

8) 暗くならないうちに、家に帰りましょう。

어두워지기 전에 집에 갑시다.

9) 忘れないうちに、メモしておきます。

잊어버리기 전에 메모해 두겠습니다.

10) 冷めないうちに、召し上がってください。

식기 전에 드세요.

4. 회화 ①

母：朝(あさ)、涼(すず)しいうちに、庭(にわ)の花(はな)に水(みず)をやっておいてくれる？

息子：うん、わかった。

母：宿題(しゅくだい)はやったの？

息子：‥‥。ううん、まだ。

母：朝(あさ)のうちに、今日(きょう)の分(ぶん)の宿題(しゅくだい)をやってしまいなさいよ。

息子：はーい。ねぇ、お母(かあ)さん、宿題(しゅくだい)が終(お)わったら、昼(ひる)から友達(ともだち)のうちに遊(あそ)びに行(い)ってもいい？

母：いいけど、暗(くら)くならないうちに、帰(かえ)ってこないとだめよ。

息子：うん、わかった！

어머니: 아침에 시원한 사이에 정원 꽃에 물을 줄래?

아들: 응 알았어.

어머니: 숙제는 했어?

아들: 아니, 아직.

어머니: 아침에 오늘 해야 할 숙제를 해 두도록 해.

아들: 네. 저기 엄마, 숙제 끝나면 점심때부터 친구 집에 놀러 가도 될까?

어머니: 괜찮긴 한데, 어두워지기 전에 집에 오지 않으면 안 된다.

아들: 응, 알았어!

4. 회화 ②

A：Bさん、こんにちは。何(なに)してるんですか？

B：Aさん、こんにちは。さっきの授業(じゅぎょう)で聞(き)いた大事(だいじ)なことを、忘(わす)れないうちにノートにまとめているんです。

A：へえ。すごいですね。ところで、Bさんは北海道(ほっかいどう)に行(い)ったことがありますか。

B：いえ、まだ。日本(にほん)にいるうちに、一度(いちど)は行(い)ってみたいと思(おも)っているんですが…。

A：そうですか。実(じつ)は今度(こんど)、ゼミのみんなと北海道(ほっかいどう)に行(い)こうと思(おも)っていて、Bさんも一緒(いっしょ)にどうかな、と思(おも)って。

B：本当(ほんとう)ですか。ぜひ一緒(いっしょ)に行(い)きたいです。

A：よかった、じゃ、また連絡(れんらく)しますね。

B：わかりました。待(ま)ってます。

A: B 씨 안녕하세요. 뭐해요?

B: A 씨 안녕하세요. 좀 전 수업에서 들은 중요한 내용을 잊지 전에 노트에 정리해 두고 있어요.

A: 우와, 대단하네요. 그나저나 B 씨는 홋카이도에 가본 적이 있나요?

B: 아니요, 아직. 일본에 있는 동안 한번은 가 보고 싶다고 생각하는 있어요.

A: 아 그래요? 실은 이번에 우리 반 친구들과 홋카이도에 갈까 하고 있는데, B 씨도 같이 가면 어떨까 해서요.

B: 진짜요? 꼭 같이 가고 싶어요.

A: 잘 됐네요. 그럼 또 연락할게요.

B: 알겠어요. 기다리고 있을게요.

5. 플러스 알파

前に

1) 暗くならないうちに　=　暗くなる前に

어두워지기 전에

2) 忘れないうちに　=　忘れる前に

잊기 전에

3) 冷めないうちに　=　冷める前に

식기 전에

4) 汚れがひどくならないうちに　=　汚れがひどくなる前に

더러움이 심해지기 전에

5) 気が変わらないうちに　=　気が変わる前に

마음이 바뀌기 전에

※ 동사 ない형+ うちに 와 동사 + 前には 같은 의미로 사용할 수 있습니다.

6. 확인하기

① 부모님이 건강하실 때 함께 여행을 가고 싶어요.

② 연습하다 보면 잘하게 돼요.

확인하기 정답

① 부모님이 건강하실 때 함께 여행을 가고 싶어요.

両親(りょうしん)が元気(げんき)なうちに、一緒(いっしょ)に旅行(りょこう)に行(い)きたいです。

② 연습하다 보면 잘하게 돼요.

練習(れんしゅう)しているうちに、上手(じょうず)になります。

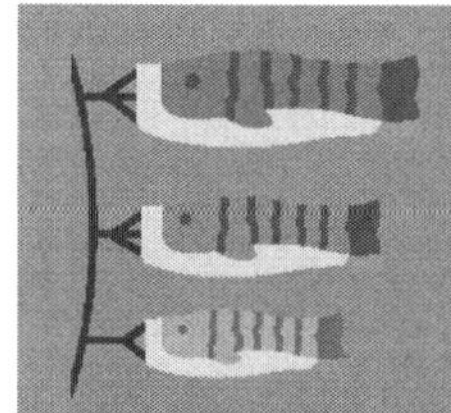

52 강

～上に ~인 데다가, ~에 더해

학습목표

上に를 사용해서 앞에 오는 말이 나타내는 행동이나 상태에 다른 행동이나 상태가 덧붙여져서 정도가 더 심해짐을 나타내는 표현을 학습합니다.

1. 접속 방법

동사 + 上に

이형용사 + 上に

나형용사 어간 な/である + 上に

명사 の/である + 上に

2. 단어

成績(せいせき) 성적　給料(きゅうりょう) 월급, 급여　値段(ねだん) 가격

運転(うんてん) 운전　才能(さいのう) 재능　努力家(どりょくか) 노력가

せき 기침

3. 예문

1) この部屋(へや)は狭(せま)い上(うえ)に、駅(えき)から遠(とお)いです。

이 방은 좁은 데다가 역에서 멉니다.

この部屋は狭い上に、駅から遠いです。

2) 彼女(かのじょ)は成績(せいせき)がいい上(うえ)に、スポーツもよくできます。

그녀는 성적이 좋은 데다 스포츠도 잘합니다.

3) この会社(かいしゃ)は給料(きゅうりょう)が安(やす)い上(うえ)に、休(やす)みも少(すく)ないです。

이 회사는 월급이 싼 데다가 쉬는 날도 적어요.

4) このパソコンは使(つか)いやすい上(うえ)に、値段(ねだん)も手(て)ごろです。

이 컴퓨터는 사용하기 쉬운데다가 가격도 적당합니다.

5) 彼女(かのじょ)は日本語(にほんご)が上手(じょうず)な上(うえ)に、優(やさ)しいので、みんなに頼(たよ)りにされています。

그녀는 일본어를 잘하는 데다 상냥하기 때문에 모두에게 의지가 되고 있습니다.

6) そんな運転のしかたは、危険な上に、迷惑です。

그런 운전 방법은 위험한 데다가 민폐입니다.

---

7) 彼女は才能がある上に、努力家です。

그녀는 재능이 있는 데다가 노력가입니다.

---

8) ごちそうになった上に、駅まで送っていただきました。

식사를 대접해 준 데다가 역까지 바래다 주었습니다.

---

9) 道に迷った上に、雨も降ってきて、不安でたまりませんでした。

길을 잃은 데다가 비도 내리기 시작해서 불안해서 견딜 수가 없었습니다.

---

10) 体がだるい上に、せきも止まりません。

몸이 나른한 데다가 기침도 멈추지 않습니다.

---

4. 회화 ①

店員：いらっしゃいませ。どんなお部屋(へや)をお探(さが)しですか。

A：ええと、部屋(へや)は広(ひろ)くなくてもいいので、家賃(やちん)が 90,000 円ぐらいで駅(えき)から近(ちか)い部屋(へや)を探(さが)しているんですが。

店員：では、こちらのお部屋(へや)はいかがでしょうか。家賃(やちん)は 92,000 円です。駅(えき)から近(ちか)い上(うえ)に、周(まわ)りにはコンビニやスーパーもありますよ。

A：いいですね。この部屋(へや)、今(いま)から見(み)ることができますか。

店員：いいですよ。では行(い)きましょう。

(部屋を見に来て)

A：明(あか)るい上(うえ)に、きれいな部屋(へや)ですね。

店員：そうですね。ここは建(た)てられてからまだ、5年(ねん)です。

A：気(き)に入(い)りました。ここにします。

점원: 어서 오세요. 어떤 방을 찾고 계세요?

A: 음 그러니까, 방은 넓지 않아도 되니, 집세가 90,000 엔 정도로 역에서 가까운 방을 찾고 있는데요.

점원: 그럼 이 방은 어떠신가요? 집세는 92,000 엔입니다. 역에서 가까운 데다가 주변에는 편의점이나 슈퍼마켓도 있어요.

A: 좋은데요. 이 방, 지금부터 볼 수 있을까요?

점원: 네 가능해요. 그럼 가봅시다.

(방을 보러 와서)

A: 밝은 데다가 깨끗한 방이네요.

점원: 그렇습니다. 여기는 지어진지 아직 5 년이에요.

A: 마음에 들었어요. 여기로 할게요.

4. 회화 ②

医者：どうしましたか。

患者：先週(せんしゅう)からせきが止(と)まらない上(うえ)に、おとといから熱(ねつ)も出(で)てきたんです。

医者：そうですか、ちょっと見(み)せてください。・・・・・ああ、インフルエンザですね。今年(ことし)のインフルエンザは、熱(ねつ)が続(つづ)く上(うえ)に、治(なお)りにくいようなんです。

患者：そうですか。

医者：1週間(しゅうかん)くらい、仕事(しごと)も休(やす)んで、ゆっくりしてください。

患者：わかりました。

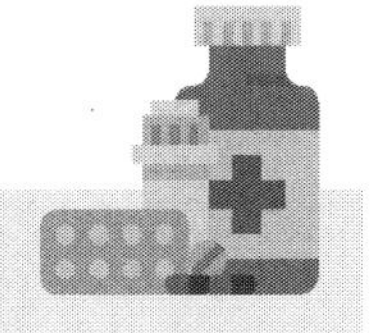

의사: 어디가 안 좋으신가요?

환자: 지난주부터 기침이 멈추지 않는 데다가, 그저께부터 열도 나요.

의사: 그래요? 좀 볼게요. 아, 독감이네요. 올해 독감은 열이 계속되는 데다가 잘 낫지 않는다고 해요.

환자: 그래요?

의사: 1주일 정도, 일을 쉬고 푹 쉬세요.

환자: 알겠습니다.

5. 플러스 알파

上で

1) してから와 같은 의미로 사용

それについては、両親と相談した上で決めます。

그것에 대해서는 부모님과 상의하고 나서 결정할 거예요.

よく考えた上で出した結論ですから、後悔はしません。

잘 생각한 후에 내린 결론이기니까 후회는 안 해요.

2) の中では 와 같은 의미로 사용

暦の上では、もう秋です。

달력상으로는 이미 가을이에요.

あの二人は一緒に長年暮らしていますが、戸籍の上では夫婦ではありません。

저 두 사람은 오랫동안 함께 지내왔지만, 호적상으로는 부부가 아니에요.

6. 확인하기

① 그녀는 일본어를 잘하는 데다 상냥하기 때문에 모두에게 의지가 되고 있습니다.

---

② 식사를 대접해 준 데다가 역까지 바래다 주었습니다.

확인하기 정답

① 그녀는 일본어를 잘하는 데다 상냥하기 때문에 모두에게 의지가 되고 있습니다.

彼女(かのじょ)は日本語(にほんご)が上手(じょうず)な上(うえ)に、優(やさ)しいので、みんなに頼(たよ)りにされています。

---

② 식사를 대접해 준 데다가 역까지 바래다 주었습니다.

ごちそうになった上(うえ)に、駅(えき)まで送(おく)っていただきました。

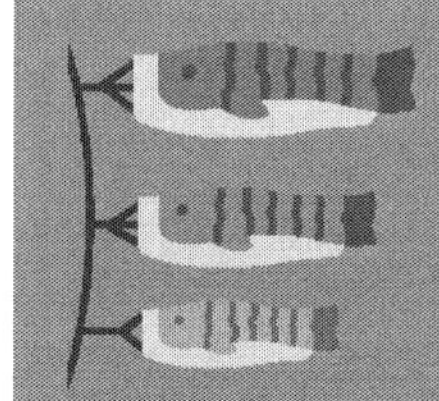

53 강

～おかげで ~덕분에

학습목표

おかげで를 사용해서 긍정적인 영향을 받았다는 표현을 학습합니다.

1. 접속 방법

동사 + おかげで

이형용사 + おかげで

나형용사 어간 な + おかげで

명사 の + おかげで

2. 단어

新薬(しんやく) 신약　　両親(りょうしん) 부모님　　妻(つま) 부인

～てくれます 해 줍니다　　普及(ふきゅう)します 보급합니다

チャレンジします 도전합니다

3. 예문

1) 田中さんが手伝ってくれたおかげで、早く終わりました。

다나카 씨가 도와준 덕분에 빨리 끝났어요.

田中さんが手伝ってくれたおかげで、早く

終わりました。

---

2) インターネットが普及したおかげで、多くの情報が手に入れられるようになりました。

인터넷이 보급된 덕분에 많은 정보를 얻을 수 있게 되었습니다.

---

3) 病気が早く見つかったおかげで、治るのも早かったです。

병이 빨리 발견된 덕분에 낫는 것도 빨랐습니다.

---

4) 新薬が開発されたおかげで、治せる病気も増えました。

신약이 개발된 덕분에 고칠 수 있는 병도 늘었습니다.

5) みなさんに応援(おうえん)してもらったおかげで、優勝(ゆうしょう)することができました。

여러분들이 응원해주신 덕분에 우승할 수 있었습니다.

---

6) 若(わか)いとき苦労(くろう)したおかげで、今(いま)の成功(せいこう)があります。

젊었을 때 고생한 덕분에 지금의 성공이 있습니다.

---

7) 両親(りょうしん)のおかげで、留学(りゅうがく)することができました。

부모님 덕분에 유학을 갈 수 있었습니다.

---

8) 妻(つま)のおかげで、毎日楽(まいにちたの)しく暮(く)らせます。

아내 덕분에 매일 즐겁게 지낼 수 있어요.

---

9) 趣味(しゅみ)が多(おお)いおかげで、いろいろな友人(ゆうじん)ができました。

취미가 많은 덕분에 여러 친구가 생겼습니다.

---

10) 日本語(にほんご)が上手(じょうず)なおかげで、いろいろな仕事(しごと)にチャレンジできました。

일본어를 잘하는 덕분에 여러가지 일에 도전할 수 있었습니다.

4. 회화 ①

上司：今回(こんかい)のプロジェクトが成功(せいこう)したのは山下(やました)さんのおかげですよ。ありがとう。

山下：いえ、とんでもないです。一人(ひとり)ではできませんでした。チームのみんなが協力(きょうりょく)してくれたおかげです。

上司：そうか。今回(こんかい)の成功(せいこう)のおかげで、私(わたし)たちの会社(かいしゃ)の製品(せいひん)が今(いま)までより多(おお)く売(う)れそうですよ。

山下：それは楽(たの)しみですね。今回(こんかい)のプロジェクトに参加(さんか)させていただいたおかげで、勉強(べんきょう)になることがたくさんありました。ありがとうございました。

上司：これからも頑張(がんば)ってくださいね。期待(きたい)していますから。

山下：ありがとうございます。

상사: 이번 프로젝트가 성공한 것은 야마시타시의 덕분입니다.

고마워요.

야마시타: 아니요, 별말씀을요. 혼자서는 못해냈어요. 팀원 모두가

협력해 준 덕분이에요.

상사: 그렇군. 이번 성공 덕분에 우리 회사의 제품이 지금까지보다

많이 팔릴 것 같아요.

야마시타: 기대되네요. 이번 프로젝트에 참가시켜 주신 덕분에 많은

공부가 되었습니다. 감사합니다.

상사: 앞으로도 열심히 해 주세요. 기대하고 있을게요.

야마시타: 감사합니다.

4. 회화 ②

学生：先生(せんせい)、大学(だいがく)に合格(ごうかく)できました！先生(せんせい)のおかげです。ありがとうございます。

先生：おめでとうございます！松田(まつだ)さんが頑張(がんば)ったからですよ。ご両親(ごりょうしん)も喜(よろこ)ばれるでしょうね。

学生：はい、両親(りょうしん)のおかげで、大学(だいがく)に通(かよ)うことができます。

先生：そうですね。これからも頑張(がんば)ってくださいね。

학생: 선생님, 대학에 합격했어요. 선생님 덕분입니다. 감사합니다.

선생님: 축하해요. 마츠다 씨가 열심히 했기 때문이에요.

부모님께서도 기뻐하시죠?

학생: 네, 부모님 덕분에 대학을 다닐 수 있게 되었어요.

선생님: 그렇죠. 앞으로도 열심히 하세요.

5. 플러스 알파

せいで

1) 夜遅(よるおそ)くまでゲームをしていたせいで、寝坊(ねぼう)しました。

밤늦게까지 게임을 한 탓에 늦잠을 잤어요.

2) しっかり勉強(べんきょう)しなかったせいで、試験(しけん)に落(お)ちました。

제대로 공부하지 않은 탓에 시험에 떨어졌어요.

3) 予習(よしゅう)して来(こ)なかったせいで、授業(じゅぎょう)が全然(ぜんぜん)わかりませんでした。

예습해 오지 않은 탓에 수업을 전혀 못 따라갔어요.

4) 風邪(かぜ)がなかなか治(なお)らないのは、薬(くすり)をきちんと飲(の)まないせいです。

감기가 좀처럼 낫지 않는 것은 약을 제대로 복용하지 않은 탓이에요.

5) 弟(おとうと)のせいで、僕(ぼく)が母(はは)に叱(しか)られました。

남동생 때문에 제가 어머님께 혼났어요.

※ おかげで는 좋은 결과에 사용하며, せいで는 좋지 않은 결과에 사용합니다.

6. 확인하기

① 부모님 덕분에 유학을 갈 수 있었습니다.

---

② 취미가 많은 덕분에 여러 친구가 생겼습니다.

확인하기 정답

① 부모님 덕분에 유학을 갈 수 있었습니다.

両親(りょうしん)のおかげで、留学(りゅうがく)することができました。

---

② 취미가 많은 덕분에 여러 친구가 생겼습니다.

趣味(しゅみ)が多(おお)いおかげで、いろいろな友人(ゆうじん)ができました。

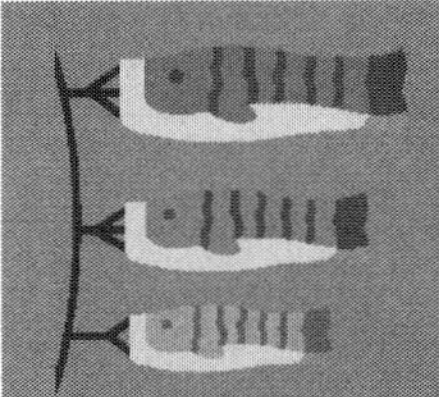

54강

~合う 서로 ~하다

학습목표

合う를 사용해서 상호적으로 작용이 일어난다는 표현을 학습합니다.

1. 접속 방법

동사ます형 + 合う

2. 단어

話(はな)します 이야기합니다　語(かた)ります 이야기합니다

言(い)います 말합니다　教(おし)えます 가르칩니다

助(たす)けます 돕습니다　殺(ころ)します 죽입니다

3. 예문

1) 問題(もんだい)は話(はな)し合(あ)いで解決(かいけつ)しましょう。

문제는 대화로 해결합시다.

問題は話し合いで解決しましょう。

2) 昔の友人と久しぶりに夜遅くまで語り合いました。

옛 친구와 오랜만에 밤늦게까지 이야기를 나눴어요.

---

3) お互いに自分の意見が正しいと言い合っています。

서로 자신의 의견이 옳다고 말하고 있어요.

---

4) 友達とわからないところを教え合いながら勉強します。

친구들과 모르는 부분을 서로 가르치면서 공부합니다.

---

5) 家族みんなで助け合いながら生活します。

가족 모두가 서로 도우며 생활합니다.

---

6) 戦争で、人間が人間を殺し合っています。

전쟁에서 인간이 인간을 서로 죽이고 있습니다.

7) みんなでアイデアを出(だ)し合(あ)います。

다 같이 아이디어를 내요.

---

8) 誰(だれ)かが殴(なぐ)り合(あ)いのけんかをしているようです。

누군가가 주먹다짐 싸움을 하고 있는 것 같아요.

---

9) 恋人(こいびと)たちが見(み)つめ合(あ)いながら、話(はなし)をしています。

연인들이 서로 바라보면서 이야기를 하고 있어요.

---

10) 子(こ)どもたちがおもちゃの取(と)り合(あ)いをしています。

아이들이 장난감을 서로 차지하려하고 있습니다.

4. 회화 ①

姉：もうすぐ、お父さんの誕生日だね。

弟：そうだね。

姉：今年は、私たちきょうだい3人でお金を出し合って、何かプレゼントをあげようよ。

弟：いいね。何がいいかな？あとで友子（妹）が帰ってきてからみんなで話し合おうか。

姉：そうね。そうしよう。

누나: 곧 아버지 생일이네.

남동생: 그렇네.

누나: 올해는 우리 3 형제가 돈을 모아서 뭔가 선물을 드리자.

남동생: 좋네. 뭐가 좋을까? 나중에 토모코가 돌아오면 다 같이 상의해 보자.

누나: 그래. 그러자.

4. 회화 ②

A：どうしたんですか。何かあったんですか。

B：あそこで殴り合いのけんかをしているみたいなんです。

最初は何かを言い合っていただけのようなんですけど…。

A：えぇ？困りましたね。警察を呼んだ方がいいでしょうか

…。

A: 왜 그래요? 무슨 일이 있나요?

B: 저쪽에서 치고받는 싸움을 하고 있는 듯해요. 처음에는 뭔가

언쟁만 하고 있었던 거 같은데요.

A: 앗 좀 난처하네요. 경찰을 부르는 편이 좋을까요?

5. 연습하기

1) 話(はな)します → 話(はな)し合(あ)います

대화를 나눕니다/ 상의를 합니다

2) 助(たす)けます → 助(たす)け合(あ)います

상부상조합니다

3) 言(い)います → 言(い)い合(あ)います

언쟁을 합니다/ 의견을 나눕니다

4) 出(だ)します → 出(だ)し合(あ)います

서로 냅니다(의견 금품 지혜 등)

6. 확인하기

① 전쟁에서 인간이 인간을 서로 죽이고 있습니다.

---

② 연인들이 서로 바라보면서 이야기를 하고 있어요.

확인하기 정답

① 전쟁에서 인간이 인간을 서로 죽이고 있습니다.

戦争(せんそう)で、人間(にんげん)が人間(にんげん)を殺(ころ)し合(あ)っています。

---

② 연인들이 서로 바라보면서 이야기를 하고 있어요.

恋人(こいびと)たちが見(み)つめ合(あ)いながら、話(はなし)をしています。

유리센 일본어 학습 자료 블로그

https://blog.naver.com/yurisen